D0299827

# NINFOMANÍA: EL DISCURSO FEMINISTA EN LA OBRA POÉTICA DE ROSARIO CASTELLANOS

NORMA ALARCÓN
*University of California*

# Ninfomanía:
# El discurso feminista en
# la obra poética de
# Rosario Castellanos

EDITORIAL PLIEGOS
MADRID

© Norma Alarcón
© Editorial Pliegos

I.S.B.N.: 84-86214-85-8
D.L.: 3207-1992

Colección Pliegos de Ensayo
Diseño: Andras
EDITORIAL PLIEGOS
Gobernador, 29 4º A
28014 Madrid - España

Printed in Spain
Composición: F. Arellano
Impresión: Coopegraf

# ÍNDICE

# CAPÍTULO I

# NINFOMANÍA: DISCURSO DE LA DIFERENCIA

*En la tierra de en medio*, punto de partida feminista para la articulación de lo femenino en la obra de Rosario Castellanos —denominación que además evoca al Nepantla (tierra de en medio), donde nació Sor Juana Inés de la Cruz—, hay un poema de diez versos (para evocar y desplazar a la décima musa) llamado «Ninfomanía». O sea, además de los versos mismos, por su contexto, se pone en juego una serie de relaciones —la tierra de en medio (Nepantla/México), Sor Juana, quien se salió de la serie de lo femenino, según ella, al hacerse monja, más Rosario Castellanos misma, quien no es ella en sí, sino Mujer que tal vez equivalga sólo al ámbito de la Ninfomanía. Según el *Diccionario Ideológico de la Lengua Española* ninfomanía es furor uterino —estado de exaltación, de ira, de locura. Siguiendo al diccionario, *furor uterino* es «perturbación genital que produce en la mujer un deseo insaciable de entregarse a la cópula». A su vez, cópula es «atadura, ligamiento de una cosa con otra, acción de copularse para la generación». No obstante, en la gramática, la cópula es el término que une al predicado con el sujeto, lo que se afirma del sujeto en una proposición. En la superficie de los versos del poema en sí se subtextualiza «el deseo (sexual) insaciable de entregarse a la cópula» y se pone en evidencia que lo que se quiere «una vez y otra y otra» es probar «al infinito». El título, «Ninfomanía», es la única «evidencia» que tenemos de que de alguna manera el infinito se relaciona, por el deseo de probarlo, con la sexualidad insaciable. La clave está en la «cópula». Cópula como término doblado para predicar —para la generación, o sea reproduc-

ción biológica, y para generar significados, afirmar cualidades del sujeto
en proposiciones. Sin ella —cópula— no hay proposiciones, ni generacio-
nes. O sea, la cópula es la Mujer, con mayúscula, como ente ya ontologi-
zado cuyo valor afirmado es el «furor uterino», la ninfomanía. Pero la
Mujer, como cópula, tampoco es objeto, *strictu sensu*, porque es el término que predica los significados del sujeto, une al sujeto con lo objetiviza-
do y si ella ocupara la posición del sujeto lo único que se puede afirmar
de ella es ella misma, como cópula, furor uterino, ninfomanía. Aquí
bien se podría sugerir que, implícitamente, Rosario Castellanos invierte
las proposiciones de Lacan sobre el Falo, que representa la plenitud del
simbolismo, mientras que la Mujer no existe como sujeto porque sufre la
falta del Falo, y así se inscribe en la tabla de la simbología ontológica negativamente, como falta.[1] Por medio de esta intervención crítica, no
obstante, Castellanos sugiere, al contrario, que no es que sea falta en sí,
sino que ella es la cópula misma, la lógica que genera significados y la
«biológica» que genera reproducciones. Como cópula funciona como generadora a través de la cual se afirman o niegan las cualidades del sujeto
masculino que ya incluye lo femenino especular en la tabla de la simbología ontológica. Así la necesidad de probar al infinito, de indagar sobre
el Ser por parte de la Mujer, no puede más que llamarse ninfomanía. Ló-
gicamente, Rosario Castellanos tiene toda la razón de la sinrazón que representan los sistemas patriarcales onto(teo)lógicos.[2] He aquí el poema:

Ninfomanía

Te tuve entre mis manos:
La humanidad entera en una nuez.

¡Qué cáscara tan dura y tan rugosa!

Y, adentro, el simulacro

---

1 Jacques Lacan. *Ecrits*, Trad. Alan Sheridan. London: Thavistock, 1977.
2 El trabajo de Jacques Derrida se dedica a exponer la construcción de estos sistemas,
especialmente el ontológico y fenomenológico. Véase, por ejemplo, *Of Grammatology*.
Trad. G.C. Spivak. Baltimore: John Hopkins University Press, 1976; y *Writing and Difference*. Trad. A. Bass. Chicago: Chicago University of Chicago, 1978.

de los dos hemisferios cerebrales
que, obviamente, no aspiran a operar
sino a ser devorados, alabados
por ese sabor neutro, tan insatisfactorio
que exige, al infinito,
una vez y otra y otra, que se vuelva a probar.[3]

Dentro de la humanidad (ontológica) hay un simulacro, una copia de la copia de lo humano representando las oposiciones conceptuales a través de los dos «hemisferios cerebrales», cuyos propios significados, *a priori*, se oponen: razón-afectividad, inteligencia-sensibilidad, etc. Situada así la ninfomanía, que según el diccionario es calidad femenina, pertenece, en efecto, a ambos hombre y mujer. Lo que se propone es una transvaluación de lo ya valorizado, *a priori*, como masculino y femenino respectivamente.

Cuando Rosario Castellanos dio principio a sus investigaciones, como sujeto interrogador, «sobre cultura femenina», se tropezó con el hecho de que no había, o sea, que desde un punto de vista situado en el sistema filosófico onto(teo)lógico no existía, por ser punto negativo, ni la Mujer, ni una producción cultural de peso. A las mujeres, dentro de ese sistema, les correspondía el término en oposición a cultura, o sea, la naturaleza. Además de ese sistema ontológico también da con el sistema teológico. En cuanto se refiere al sistema teológico la exposición de San Agustín es importnte y útil. En *La Ciudad de Dios* organiza al Antiguo y Nuevo Testamento en torno a «dos ciudades» —la ciudad celestial y la ciudad terrena; ciudades que, según Celia Amorós, «corresponden respectivamente a dos series genealógicas contrapuestas: los de la ciudad celestial son los hijos de la promesa —promesa de la verdadera herencia— y de la gracia; los de la ciudad terrenal pertenecen al orden de la naturaleza —que aquí se contrapone a gracia— y son criaturas de lo perecedero y lo fugaz».[4] Los dos sistemas, en efecto, le ofrecen tres proposiciones con referencia a la Mujer esencial. Estas corresponden a las tres que Jac-

---

3 Rosario Castellanos. *Posía no eres tú.* México: Fondo de Cultura Económica, 1972, p. 300.

4 Celia Amorós. *Hacia una crítica de la razón patriarcal.* Madrid: Anthropos, 1985, pp. 88-89. Referencias adicionales se harán dentro del texto.

ques Derrida propone sobre la obra de Nietzsche.[5] Y aunque Rosario
Castellanos nunca leyó a Derrida, sí leyó a Nietzsche, lo que para mí sugiere que en su labor deconstructiva del sistema onto(teo)lógico, Castellanos captó las tres proposiciones que se pueden recoger del trabajo de
este filósofo. ¿Sería exagerado proponer que Castellanos aprendió a deconstruir de Nietzsche también, como ciertamente muchos teroístas
franceses hoy día? Propongo que las proposiciones que Derrida enumera
para Nietzsche coinciden con las que Castellanos expone en su obra
poética:

1. La Mujer como figura de la mentira, de la no verdad
   (ciudad terrena)
2. La Mujer como figura de la verdad misma
   (ciudad celestial).
3. La Mujer como disimuladora, actriz, dionisíaca, ménade, en fin,
   ente de múltiples máscaras
   (las imágenes generadas por el sujeto filósofo-escritor masculino)

La estrategia no es tanto invertir el sistema y proponer antítesis, sino interrogarlo a manera del poema «Ninfomanía». ¿Qué tiene de sexual? Todo y nada. A Rosario Castellanos, Eva le permite la apertura estratégica para situarse dentro y fuera del sistema teológico como figura
caída/de culpas/cuerpo/carne/mentira/muerte. Su figura le permite sacar las metáforas/conceptos ya eslabonados por la figura misma dentro
de la herencia textual. Si se identificara con María, que en la obra de
Castellanos (en Nietzsche también) es la figura de la verdad, que comprueba la existencia divina, se situaría al lado de la verdad y en efecto no
tendría nada que decir, sólo tendría que reproducirla viviéndola. Al situarse del lado de Eva y la serie eslabonada, Rosario Castellanos abre un
espacio radicalmente contingente, el yo que soy ahora, en el intervalo
entre pasado y futuro, donde se expone mi diferencia. Se posesiona de la
palabra misma por medio de la mentira, el espejo/Eva que refleja inver-
tidamente el Logos, Eva la metáfora misma, simulacro (cerebral). Se po-

---

5 Jacques Derrida. *Spurs*. 4Trad. B. Harlow. Chicago: University of Chicago Press,
1979.

sesiona del simulacro para investigar al simulacro mismo en cuanto que mediatizado por Eva es femenino y la negatividad misma. Sólo por este camino se pueden entender los esfuerzos que Rosario Castellanos hizo por feminizar la posesión de la palabra y de la poesía. (Véanse capítulos III y IV.) Es decir, poesía no eres tú, Mujer, como diría Bécquer (véase capítulo VI), ni tampoco soy yo, poesía es el artificio de escribir, o sea, Rosario Castellanos quiso desnaturalizar el arte, que tampoco nunca ha dejado de verse como mímesis de lo natural y en cuanto es mímesis de lo natural se mediatiza por lo *a priori* asignado a lo femenino.

Digámoslo de otra manera con la ayuda de Simone de Beauvoir y Luce Irigaray. (La primera influyó en Castellanos, mas no la segunda.) Según Simone de Beauvoir en *El segundo sexo*, la Mujer ha representado lo otro para el sujeto masculino, esto es, lo otro dentro del sistema ontológico donde el hombre se identifica con el Ser/sujeto. Por eso dice que «una no nace mujer sino que se hace mujer».[6] El hacerse mujer se desdobla en dos vertientes, o sea, la mujer se hace mujer de acuerdo con los patrones ideológicos recibidos desde ese sistema onto(teo)lógico ( que puede variar según la historia, aunque ésta esté bajo su influencia); o la mujer se elige como sujeto, que es lo que De Beauvoir recomienda, y de ese momento en adelante hace de sí y del mundo un proyecto, para sí, por sí. En cierta medida, Rosario Castellanos sigue las dos vertientes. Por un lado se elige sujeto como practicante de la escritura que se define como proyecto-praxis, aunque no sin antes esforzarse por apropiarse de la poesía para sí; pero por otro lado utiliza esa práctica para investigar su herencia cultural, o sea, los patrones recibidos a imitar; como consecuencia su poética trabaja múltiples figuras paradigmáticas. Es así que la obra poética de Castellanos resulta simultáneamente una imitación, repetición, aun parodia de representaciones femeninas, de sus máscaras, y un desplazamiento. Su yo (hablante) poético se desdobla continuamente entre lo que fue (debió haber sido éticamente) y lo que no es, la diferencia radical contingente. Así su poesía resulta un largo ensayo/borrador hacia un futuro que todavía no es, precisamente el dilema donde se encuentra el discurso (feminista) de la diferencia hoy día. ¿Representa la Mujer punto de identidad con los significados recibidos y elaborados, o es un

---

6 Simone de Beauvoir. *The Second Sex*. New York: Vintage Books, 1974, p. 301.

trasfondo que se relee desde el proceso de ser mujer(es) en el ámbito social contingente? Además, ¿hasta qué punto se reinscribe lo recibido por su influencia masiva en el ámbito social? Esto es, una sólo se puede pensar dentro y fuera, simultáneamente, de los sitemas valorados en vigencia. La posición del feminismo contemporáneo es ante todo una crítica de lo vigente para desplazarlo, transformarlo, cambiarlo. En fin, los propósitos mismos de Rosario Castellanos en toda su obra.

Luce Irigaray, a diferencia de De Beauvoir, en vez de apropiarse de la noción de la mujer como sujeto, afirma con De Beauvoir que la teoría del sujeto es masculina, pero enfatiza que esa teoría siempre ha sido apropiada por el sujeto masculino, por lo que le es imposible situarse en el mismo concepto. O sea, dentro de ese sistema onto(teo)lógico no se puede hablar como «mujer/sujeto», excepto ocupando el sitio masculino. Al situarse como ente femenino y posesionarse de ello, una puede percibir cómo ya la mujer está situada negativamente dentro del sistema, ya es ambos: lo otro y lo no otro. Irigaray se pregunta por qué no doblar el malentendido hasta los límites del agotamiento. El malentendido, el error que ya está situado en el Orden de las Significaciones; dentro de ese espejo del orden puede ella encontrar una voz lo suficientemente fuerte como para dar figura al orbe imaginario del sujeto masculino.[7] Significar que dentro del sistema onto(teo)lógico la mujer no se puede actualizar para sí, por sí, como lo afirma De Beauvoir, porque esto no se puede resolver dado que está mediatizado por la noción del Ser. Ella permanece la «co-existencia simultánea de opuestos», de términos binarios ya en oposición, «ella es igualmente ni lo uno ni lo otro. O mejor, está ella entre lo uno y lo otro, el espacio elusivo entre dos cuerpos discretos». (Irigaray, p. 165.) Es ese espacio, donde se efectúa la diferencia que yo llamo el sitio del sujeto radical contingente, que Rosario Castellanos figura como Eva, por ejemplo, o como ente marginado, para dialogar con lo recibido, lo heredado. En sí misma como sujeto radical contingente la mujer no es necesaria al sistema, pero como no sujeto, sometida negativamente al sistema, es esencial; de aquí el peligro de esencializar la identidad femenina mediatizada por los paradigmas heredados al aco-

---

7 Luce Irigaray. *Speculum of the Other Woman*. Trad. Gillian C. Gill. Ithaca: Cornell University Press, 1985, pp. 143-144. Referencias adicionales se harán dentro del texto.

plarse a elllos. Es precisamente esa esencialización lo que Rosario Castellanos se propuso eludir. Así, aunque intentó mediante la autoconciencia
controlar la palabra y la significación, tenía en cuenta que éstas ya tenían
una anterioridad en la textualización que la controlaban a ella. (Véase capítulo III.) De ahí el efecto de textos en combate en su obra.

Con respecto a la recomendación de De Beauvoir de que las mujeres deben elegirse como sujetos para sí, por sí, Castellanos se elige para
sí, por sí como escritora que explora la diferencia, como sitio donde no
es ni lo uno ni lo otro, entre lo uno y lo otro. Nótese que no se elige como filósofa aunque fue estudiosa de la filosofía. Así, cuando Castellanos
introduce la temática de lo otro, lo otro siempre está en otra parte, le señala al «amigo» que ella no es lo otro, sino que lo otro es el tercero, algo
fuera y entre los dos.

Celia Amorós, en *Hacia una crítica de la razón patriarcal*, ha observado que hoy día el discurso feminista se desenvuelve en dos vertientes: el
discurso de la igualdad y el de la diferencia. El primero nos mete en el ámbito social contemporáneo, donde se llevan a cabo las batallas contra la
subordinación de la mujer en derechos, economía y representación política, en fin, la integración. El segundo nos introduce en el ámbito de la
«razón» patriarcal, el núcleo simbólico que tiene que ser traducido y de-
codificado. En ese ámbito filosófico-ontológico, la mujer como diferencia
ha sido marginada de la subjetividad misma. (Amorós, pp. 72-73.) El método que Amorós sugiere para la decodificación es una actitud escéptica
y crítica, aun sospechosa. La actitud crítica es la crítica de la diferencia.
Al escoger la figura de Eva, por ejemplo, Castellanos «escribe el cuerpo»,
pero lo contextualiza históricamente. O sea, la textualización heredada
sobre la cual se opera la diferencia, por medio de Salomé, por ejemplo,
que la sitúa dentro de la oposición binaria hombre-mujer, donde esa oposición efectúa significados dentro y fuera del sistema. (Véase capítulo V.)

La crítica ha caracterizado a la obra poética temprana de Castellanos como «femenina», en sentido peyorativo. A la obra madura se le califica de «feminista», en sentido valorativo, cuya protesta es más efectiva
por su ironía.[8] La deconstrucción del orden simbólico masculino se en-

---

8 Julian Paley. *Meditation on the Threshold*. Trad. J. Paley. Tempe, Ar.: Bilingual
Press, 1988.

tiende como algo que tiene lugar en el trabajo maduro, donde la ironía
es más obviamente pronunciada. (Véanse capítulos V y VI.) La obra temprana, al leerse la repetición inscrita y reinscrita de la «retórica tradicionalmente poética», esto es, la multitud de imágenes y metáforas retoma-
das del texto místico-romántico (véase capítulo IV) heredado, se tildan
de repetición de lo «femenino» —narcisista, autoabsorción, subjetivismo
sentimental, etc. Sí es repetición, pero repetición autoconsciente, necesaria, que pone en cuestión a lo heredado, lo desmitifica por medio de
Eva. La ironía es el descubrimiento consciente del espejo heredado y el
desmembramiento del espejo donde es y no es. Como poeta, a menudo
Castellanos califica a esa de superretórica, como ensayista la calificó de
borrador sobre el cual vertió un resumen de sus conocimientos sobre lo
femenino. Ante la evaluación escrictamente estética, Castellanos titubea,
fuera de lo estético acumula valor. Al abordar la obra como resumen de
sus conocimientos sobre «lo femenino», la intervención crítica nuestra
tiene que tomar en cuenta que para hacer el borrador Castellanos se vio
obligada a reinscribir la tradición poética por dentro y por fuera. Una
voz que domina no sólo los conocimientos «sobre cultura femenina» sino la técnica poética que ha de practicar para hacer su trabajo «estética-
mente» admisible. Así la ironía como técnica de distanciamiento donde
entre el «yo» y el cuerpo siempre hay una intermediaria, la otra Mujer,
la del texto heredado-simbólico y social. La onto(teo)logía es el espejo
del hombre donde habita la otra Mujer y el espejo que ella (contingente)
también observa. Esa Mujer como símbolo y concepto no es nosotras
entes sociales, pero siempre se corre el peligro de serlo. Entre la hablante
y el sistema, el espejo/Mujer se devuelve hacia él, que lo construyó, y
hacia ella, que observa las máscaras múltiples sobrepuestas que se pretende le reflejen. Desde esta posición, entonces, a ella le es necesario romper el espejo, dispersando así la multiplicidad de representaciones donde
todas y ninguna es verdad. Rompe el espejo duplicando, reinscribiendo
las figuras hasta el agotamiento una y otra y otra vez. En este sentido, la
escritura también es Ninfomanía —entrega a la cópula(ción). Las reinscripciones poéticas de Rosario Castellanos abren «el verdadero terreno
de la batalla», como observa Amorós en otro contexto, donde «la reorga-
nización de un orden cultural cuya interiorización inconsciente no cons-
tituya a la mujer como psicología oprimida y deprimida». (Amorós, p.

71.) El problema de «la constitución de nuestro propio discurso como mujeres es el de asumir radicalmente la contradicción y las posibilidades que tiene de superarlas el símbolo...» (p. 70) Rosario Castellanos entendió todo esto antes del feminismo contemporáneo. La crítica que ella misma practica interviene en los poemas al enfocarse sobre la construcción de lo femenino, su representación cultural y las estrategias que la hablante selecciona para apartarse de esa construcción. Nos ofrece fábulas, parodias, figuras paradigmáticas para compenetrar e indagar en cuanto puede sobre esas paradojas que son lo femenino. Es estrategia que también empleó en su prosa y que todavía queda por articularse críticamente.

CAPÍTULO II

## LA SITUACIÓN CRÍTICA MEXICANA, 1940-1975

En la década del cuarenta, cuando Rosario Castellanos era estudiante, el número de poetas mexicamas había crecido notablemente. Se empezaba a conocer a Margarita Michelena y Carmen Toscano, quienes con la ayuda de jóvenes poetas, habían fundado la revista *Rueca* (1941-?).[1] Aparentemente, el aumento de la actividad poética entre las mujeres a través del continente hispanoamericano era de tal proporción que a críticos como el Padre Méndez Plancarte, editor de *Abside* y estudioso de la obra de Sor Juan Inés de la Cruz, se referían despectivamente a las «poetisas» como «turbamulta de aves de corral». Castellanos era consciente de esa percepción peyorativa, ya que ella misma la menciona. Era un insulto que a la vez la hacía reír y la ponía nerviosa, pues se proponía forjar una carrera en letras y por esos años deseaba ser poeta.[2] Además de ser percibidas como «aves de corral», las poetas tenían que sufrir el nombre de «poetisas», el cual, como observa Raúl Leiva, conllevaba una actitud burlona.[3] En cierto sentido, ser «poetisa» significaba que las mujeres invadían el territorio masculino al afirmar sus aspiraciones públicamente, y que no sólo era vergonzante sino ridículo. La estima de las poetas a mi-

---

1 Antonio Castro Leal, ed. e introd., *La poesía mexicana moderna*. México: Fondo de Cultura Económica, 1953, pp. XXX-XXXI.

2 «Rosario Castellanos». *Los narradores ante el público*. México: Joaquín Mortiz, 1966, p. 96.

3 Raúl Leiva, «Rosario Castellanos», en su *Imagen de la poesía mexicana contemporánea*. México: Centro de Estudios Literarios, UNAM, 1959, p.293.

tad de siglo era tan baja que Leiva defiende la inclusión de tres poetas femeninas en su libro, enfatizando que acreditaban a su sexo: «asistimos a
un renacer de la poesía lírica escrita por mujeres».[4] A continuación dice
que las nuevas voces de Concha Urquiza, Margarita Paz Paredes y Rosario Castellanos «reivindican (...) la voz poética de la mujer, la que en el
nuevo mundo ya ha sido capaz de colmar toda una esplendente época, siguiendo el ejemplo clásico de Sor Juana Inés de la Cruz».[5]

En el siglo XX, de manera fascinante, a sor Juana Inés de la Cruz se
la tranformó en el prototipo adecuado de la poeta que debe servir de
modelo a otras escritoras. A Sor Juana, como modelo de la excelencia
lingüística, de la profundidad, y del conocimiento, también se la emplea
como punto diferenciativo entre las poetas que escriben «Poesía femenina», y las que escriben «Poesía de mujeres».

Al examinar la crítica temprana sobre Rosario Castellanos, se nota
claramente que la diferenciación entre «Poesía femenina» y «Poesía de
mujeres» retenía una crítica significativa. Con respecto a la sexualidad,
sin embargo, los comentarios sobre el trabajo poético en ocasión se volvían verdaderamente esotéricos. De tal tipo son los comentarios hechos
por Gabriel Méndez Plancarte sobre la obra de Urquiza: «En ella esplende sin mengua su exquisita feminidad, una poesía viril, o mejor, una poesía sin sexo, una poesía humana».[6] Es obvio que en cuanto se refiere a
las escritoras, su sexo ha sido de gran importancia a la crítica (los críticos), quienes además han tenido dificultades en inventar las categorías
adecuadas para celebrar la obra de la mujer. Así pues, se les ve reducidos
a equilibrar la expresión femenina en oposición a la «viril», o la expresión femenina en oposición a la asexuada. O sea, que lo femenino se valoriza o desvaloriza según la ocasión y los criterios vigentes de la época.
Sin embargo, las divisiones preferidas en México durante las décadas de
los cincuenta y los sesenta, para diferenciar los escritos buenos de los
malos, eran «Poesía femenina» y «Poesía de mujeres». De modo que para
elogiar la obra de Castellanos era obligatorio afirmar que su poesía no
era «femenina». Leiva, por ejemplo, en una reseña descriptiva de Caste

---

4 Leiva, p. 293.
5 Leiva, p. 294.
6 Leiva, p. 193.

llanos, observa que Rosario «escapa a la frivolidad en que viven inmersas otras mujeres que escriben versos, y ha sabido escuchar las voces de la sangre, su latido más profundo, y lo ha transformado en materia pública».[7] De esta manera, a las escritoras se las separa de los escritores, y consiguientemente se les compara entre sí. Es posible que en esto haya algo más importante que el sexismo. Es decir, que las escritoras bien pueden estar expresando cosas que son no sólo diferentes (a las de los hombres), sino también en modalidades diferentes, que es difícil integrarlas a la establecida o escrita tradición literaria, lo que también ocasiona tanta referencia a Sor Juana como punto de comparación. Castellanos, en efecto, es este tipo de escritora, y Leiva concluye su reseña afirmando que «... se sitúa en uno de los primeros lugares de la poesía de lengua española escrita actualmente por mujeres».[8]

En una reseña de *Poemas (1953-1955)*, el mismo libro que reseñara Leiva, Carballo apunta que los poemas que tratan de hablantes femeninas son subjetivos, porque surgen de «lo que se ha llamado poesía de confesión». Pero los poemas que tratan del resurgimiento de la raza colectiva son objetivos y testimoniales, «fija las experiencias de la autora frente a lo que la circunda».[9] En otra reseña de la obra de Castellanos, Silva Villalobos hace una diferenciación semejante a la de Carballo, o sea, los poemas «personales» (subjetivos), y los «impersonales» (objetivos).[10] En cierto sentido, otra diferenciación crítica tiene lugar: una vez que se establece que su poesía es la de una mujer (no femenina, evadiendo la frivolidad sentimental), la obra se divide entre la personal y la no personal. La categorización personal surge cuando los poemas incluyen la temática amorosa, o cuando representan a hablantes femeninas. La no personal se reserva para los poemas narrativos visionarios sobre la fundación y destrucción de la colectividad. Lo irónico, sin embargo, es que dichos poemas, narrados en primera persona, se filtran por un yo narrador asexuado. La conclusión que se puede sacar aquí es que si el yo narra-

7 Leiva, p. 333.
8 Leiva, p. 340.
9 Emmanuel Carballo, «Reseña a *Poemas (1953-1955)*», en *México en la cultura*, 430 (16 de junio de 1957), p. 2.
10 Antonio Silva Villalobos, «La poesía de Rosario Castellanos», en *Metáfora* 18 (enero-febrero 1958), p. 3.

dor/lírico habla desde su feminidad, la poesía es subjetiva, pero si habla desde una asexualidad, la poesía es objetiva.

El tema amoroso presenta una problemática crítica. Es interesante notar que Salvador Reyes Nevares, al reseñar *Al pie de la letra* (1959), señala que «El amor a que alude Rosario Castellanos no es el amor amoroso, propicio a las confesiones íntimas y a los arranques sentimentales... lo que nos dice la poetisa atañe vitalmente a todos, y de ello dependen —de ese amor— la existencia, el mundo y la muerte».[11] Reyes Nevares primero se dirige al prejuicio contra las escritoras que escriben del amor, y subsiguientemente trata de emplear la perspectiva crítica desde la cual tales escritos deben percibirse, al decir que en la poesía de Castellanos el amor es temática que atañe a todos. Pero Castellanos venía cuestionando la temática amorosa desde el momento en que publicó sus primeras poesías en 1948: mas, como veremos, sus perspectivas y el tratamiento poético eran muy diferentes y han quedado sin comentarse. Sin trazos los sentidos de la problemática amorosa en Castellanos no es sorprendente que a Leiva le choque el poema «Destino», en el cual Castellanos escribe que «Matamos lo que amamos», y concluye: «Damos a la vida sólo lo que odiamos...» Leiva insiste en que esto no es verdad, «No puede reflejar una experiencia auténticamente humana».[12] Paradójicamente, para Leiva la conclusión es tan sorprendente que ni siquiera se le tolera como perspectiva «personal».

En su antología *La poesía mexicana del siglo XX* (1966) Monsiváis, al comentar la perspectiva épica de Rosario Castellanos, en particular su poema «Lamentación de Dido», dice: «Las tradiciones de la poesía femenina, refugio (y buzón) de todas las quejas sentimentales, se ven negadas por Rosario Castellanos, que con ese poema decide la intensidad de su obra poética... En Rosario Castellanos se extingue la literatura femenina... y se inicia la literatura de la mujer mexicana».[13] La actitud no sentimental de Castellanos hacia el dolor de Dido es lo que más impresiona a

---

11 Salvador Reyes Nevares, «Reseña a *Al pie de la letra*», en *México en la cultura*, 528 (26 de abril de 1959), p. 4.

12 Raúl Leiva, «Reseña a *Lívida luz*», en *La palabra y el hombre*, 17 (enero-marzo 1961), p. 181.

13 Carlos Monsiváis, *La poesía mexicana del siglo XX*. México: Empresas Editoriales, 1966, pp. 63-64.

Monsiváis, y tal vez, aunque no lo dice, su tentativa de transformar a Dido en paradigma de la existencia femenina. Sin embargo, Monsiváis utiliza la poesía de Castellanos para descartar a otras escritoras que hasta ahora esperan una crítica seria, con respecto a la influencia romántica, por ejemplo. En *Poesía en movimiento* (1966), las observaciones de Octavio Paz coinciden con las de Monsiváis al sostener que Rosario Castellanos y Margarita Michelena no escriben «poesía femenina», sus poemas «no habrían podido ser escritos sino por dos mujeres enteras y que asumen su condición».[14] La noción de que «asumen su condición» —que yo prefiero llamar «la reformulación de la condición femenina a través de la voz poética» en cuanto ellas críticamente, es decir conscientemente, eligen una voz que difiera de sus precursoras— es el más elevado elogio que Paz pueda ofrecerles dentro de una antología que él hubiera preferido que sólo representara poetas que participan en «la ruptura». En otras palabras, mientras que el contenido (su condición) parece diferente, la forma es arcaica. Así se revela que los criterios estéticos de Paz son estrictamente formales. Esto se entrevé claramente en la discusión de Paz sobre el poema «Muerte sin fin» (1939) de José Gorostiza. Paz opina que este poema se atiene a la forma cerrada o clásica, «la tradición de lo tradicional», que se contrapone a las formas abiertas y no clásicas.[15] O sea, qu las mujeres y José Gorostiza son la gran excepción a la vanguardia formalista que no es lo mismo que una vanguardia substancial. La apreciación divergente de Alí Chumacero y José Emilio Pacheco permitió la inclusión de Castellanos y Michelena. El punto de vista de Chumacero y Pacheco sostenía que otros valores clásicos deben de tomarse en cuenta, como «la dignidad estética», «el decoro» en el sentido horaciano de la palabra, y la «perfección».[16] No obstante sus buenas intenciones, aunque «decoro» aluda a la respetabilidad, honor y seriedad, también implica «decorativo y decoración», o sea, algo que no interesa por la calidad sino sólo por la presencia. Puede ser que a muchas mujeres y a algunos hom-

---

14 Octavio Paz, Alí Chumacero, José Emilio Pacheco, Homero Aridjis, eds. *Poesía en movimiento, 1915-1966*. Prólogo de Octavio Paz. México: Siglo XXI Editores, S.A., 1969, p. 22.

15 Paz, p. 19.

16 Paz, p. 8.

bres no les interese prestar atención a las «formas abiertas» porque su entendimiento de lo que perciben y sienten «tiene que decirse».

La voz poética de Rosario Castellanos, tanto como la de algunas de sus contemporáneas, atrajo suficiente atención como para no sólo separar a la «poesía femenina» de la «poesía de la mujer», sino también para celebrarla por el hecho de evadir la estilística de los «ismos». El deseo de Castellanos de entenderse a sí misma y a su contexto cultural la llevó a alejarse de novedades estilísticas que bien podían distorsionar lo que quería expresar. Críticos de su «generación del 50», como Silva Villalobos y Elías Nandino, gozaban en señalar que el estilo de Castellanos se alejaba «de todos los ismos», y que ella era immune «al contagio de toda esa ola surrealista que manos ineptas han vuelto a sembrar en nuestro medio».[17] Esto es, la voz de Castellanos era «una protesta continuada en contra de la barbarie civilizada».[18] Así, Castellanos representaba una variedad de cosas según la perspectiva, una de las cuales era dar la batalla contra el esteticismo formalista. De esta manera, su presencia ilumina áreas de interés para muchos de sus contemporáneos, hombres y mujeres.

María del Carmen Millán trata de utilizar la voz poética de Castellanos con el propósito de demostrar que «La profesión de letras puede ser desempeñada... indistintamente por hombres o por mujeres».[19] Su ensayo «Tres escritoras mexicanas del siglo XX», que fue su discurso de entrada a la Academia Mexicana de la Lengua en 1975, es una exquisitez de ambigüedad diplomática. El discurso de Millán se elabora al torno de las noción de «exlusión» e «inclusión», de distintos tipos, pero al abordar el trabajo de Castellanos afirma que para 1950 «Es difícil seguir insistiendo en la existencia de una denominación especial para la literatura escrita por mujers».[20] La invasión literaria de Castellanos, tanto como la de otras escritoras, es el punto de partida para que Millán reclame que los esfuerzos literarios de las mujeres ya no deben percibirse con etiquetas especiales. Sutil y cuidadosamente subraya que por su profesionalismo

---

17 Silva Villalobos, p. 9.

18 Elías Nandino, «Reseña a *Al pie de la letra*», en *Estaciones*, 4, 14 (1959), p. 242.

19 María del Carmen Millán, «Tres escritoras mexicanas del siglo XX», en *Cuadernos Americanos*, 34, 5 (setiembre-octubre 1975), p. 163.

20 Millán, p. 175.

merecen ser aceptadas en la Academia. Con referencia a ella misma, Millán espera que su elección a la Academia sea un «acto simbólico» que sugiere la inclusión de muchas más mujeres. De las escritoras dice: «Rehúyo la designación "literatura femenina" por ambigua e inexacta». Observa que tal designación es una manera de excluir, «un modo de dar a entender que las escritoras permanecen un grupo aparte, desligado del proceso histórico y de los problemas trascendentes de la estética».[21] Es obvio que Millán trata de hacer desaparecer las categorías de «poesía femenina» y «poesía de mujer», al insistir en que el profesionalismo entitula a las mujeres a la igualdad, a la «universalidad sin género, sin sexo». Pero su discusión es aún más compleja, pues primero apela a los precursores apropiados —un poeta y un estudioso— que le presten las dos voces de autoridad que requiere para expresar su pensamiento. Primero evoca a Julio Torri, cuya selección de formas lo sitúa fuera del canon poético. Se le califica de «perturbador», «espíritu inconforme», «sus obras son como la iamgen de un diálogo presupuesto, del que sólo quedan los hitos, las señales».[22] Después acude a José María Vigil, que como miembro de la Academia introdujo, seriamente, el estudio de las escritoras por medio de su libro *Poetisas mexicanas, siglos XVI, XVII, XVIII, XIX* (1893). Una vez que comenta a estos «renegados» precursores, Millán sigue con su identificación de escritoras que en efecto son el verdadero propósito de su charla. Nos habla primero de María Enriqueta Camarillo de Pereyra (1872-1968), y señala su aislamiento de los círculos literarios de su tiempo, pero que practicó su «vocación literaria como impostergable necesidad vital».[23] Después, escoge a Concha Urquiza (1910-1945) y comenta que ésta «acabó con el anecdotario sentimental de las mujeres escritoras... con el mito de poesía femenina».[24] Como María Enriqueta, Urquiza también escribió lejos de los círculos literarios de su época.

Así que Millán examina la marginalización, ya sea por el espíritu del poeta, el sexo, o exclusión como objeto de estudio. Concluye que como poeta Castellanos elimina todas las diferencias sexuales, o debe de hacerlo por ser tan profesional. Sin embargo, la noción de «profesionalis-

21 Millán, p. 166.
22 Millán, p. 164.
23 Millán, p. 168.
24 Millán, p. 172.

mo» en el discurso de Millán es más bien un deseo de su parte de hacer desaparecer la categoría de «literatura por mujeres» por su tinte peyorativo y como vía de exclusión de la práctica profesional, que una negación de la diferencia que se adhiere a la voz poética, ya sexual o espiritualmente, porque la otra noción clave en el discurso alude a los aspectos perturbadores de las voces poéticas que no forman parte del canon poético. En este segundo punto, Torri le sirve de modelo, especialmente su insistencia en que el espíritu inconformista de Torri tanto como su código autoimpuesto que paradójicamente sirve para revelarse.

De los dos puntos de partida de Millán —escritores fuera del canon poético y el profesionalismo—, si el primero le sirve para la inclusión de las escritoras en la Academia por la puerta trasera de la diplomacia y a la vez afirmar, tangencialmente, que las voces poéticas pueden ser diferentes, sin subrayar la diferencia sexual.

Sin embargo, ni la diplomacia ni la asexualidad son necesariamente el negocio de la poesía, pues, como han dicho Sandra Gilbert y Susan Gubar, las voces poéticas en alguna medida son «la enunciación de un "YO" fuerte y autoafirmante... el ser central que habla... un poema debe ser fuertemente definido, aunque ella/él sea real o imaginario... la/el poeta debe estar continuamente alerta de sí misma desde adentro, como sujeto, como hablante: ella debe ser autoafirmante, autoritaria, radiante de sentimientos poderosos a la vez que está absorta en su propia conciencia».[25] La definición del yo poético en sí ya se da en oposición a las existentes nociones de la mujer y lo femenino, lo cual explicaría la confusión de medio siglo sobre si las nuevas poeta mexicanas escribían «poesía femenina» o «poesía de mujer». Además, a las poetas fuertes se las tiende a ver como «aves raras», que no sé si sea mejor que «aves de corral».

La tendencia egocéntrica de la voz poética, en efecto, contribuye a la idea de «rareza» asociada con Sor Juan y con la poeta norteamericana Emily Dickinson, al igual que a la división que venimos trazando —«poesía femenina» y «poesía de mujeres». No obstante, Millán tiene razón al dar a entender que ambas categorías son modos de trivialización que excluye a las mujeres de su reconocimiento dentro del proceso histórico y

---

25 Sandra M. Gilbert y Susan Gubar., eds. e introd., *Shakespeare's Sisters: Feminist Essays on Women Poets*. Bloomington, Indiana: Indiana University Press, 1979, p. XXII.

estético. Ya que la perspectiva crítica por excelencia es *a priori* enfocada sobre el sexo de la poeta en vez de su involucramiento más amplio dentro de un proceso literario histórico, o como la manipulación de las formas literarias hecha por mujeres con el objeto de la autoexpresión. Por tanto, su sexo a menudo se transforma en metodología crítica, aún más que las perspectivas históricas y estéticas. No obstante, esta doble problemática surge cuando se considera que la identificación de estas perspectivas, como criterios críticos, se ha forjado a través de las voces poéticas masculinas, dejando las voces de las mujeres en un limbo crítico. La exclusión del proceso histórico y de la problemática estética que Millán quiere desplazar corresponde a un orden diferente que el del entendimiento de las voces poéticas en sí, ya que el primero nos involucra en el discurso de la igualdad sociohistórica, y el segundo en el discurso (tematizado) de la diferencia. En cierta medida, Millán tiene conciencia de esto pues nota que la poesía de Castellanos fue «un largo itinerario sin descanso para encontrar su propia voz, su razón de ser, la justificación de su existencia... Para Rosario Castellanos la experiencia poética fue al mismo tiempo experiencia de lucidez, de inteligencia, de desafío... Acercarse a la poesía de Rosario Castellanos es como tener el privilegio de presenciar la trayectoria fugaz e intensamente luminosa de un espíritu colmado de preguntas frente a un paisaje desolado. Es la asistencia al milagro del nacimiento del poeta cuando aún lleva atados a sus venas y encerrados en sus ojos la canción y el vuelo».[26] La preocupación de Castellanos con su propia conciencia y su relación con su cultura que la mueve a asumir un «Yo», que desea autodefinirse desde cero, porque al autodefinirse ella tendrá que empezar desde su interioridad, confiando en su experiencia y en la relación de esa experiencia con un mundo real o deseado. En fin, este fue el medio crítico en que Rosario Castellanos realizó su trabajo. En efecto, resulta de más valor apreciar la inteligencia crítica que tiene de ella misma y que caracteriza toda su obra.

---

26 Millán, pp. 177 y 179.

CAPÍTULO III

# SOBRE CULTURA FEMENINA

En la formación intelectual y vital de Rosario Castellanos se dan dos ejes topográficos fundamentales: Chiapas y la Ciudad de México. Bajo su influencia se desenvuelve tanto su obra literaria como sus posiciones filosóficas y políticas. Aunque Castellanos nació en la Ciudad de México el 25 de mayo de 1925, los primeros quince años de su vida los pasó en Comitán, Chiapas. Desde mediados del siglo XIX la familia Castellanos tuvo grandes haciendas en Chiapas y vivieron en la hacienda llamada Rosario, en el río Jataté, cerca de Comitán, así como en el mismo pueblo hasta 1940. Después de esa fecha y a raíz de los desplazamientos debidos a la reforma agraria cardenista y a la necesidad de educar a la hija, cuya herencia había disminuido, la familia se mudó definitivamente a la Ciudad de México. No obstante, durante la década del cincuenta, Castellanos, después de la muerte de sus padres, volvió a vivir en Chiapas en varias ocasiones.

A partir de eventos claves en la experiencia de provincia, Rosario Castellanos se construye una fábula autobiográfica personal, política e intelectual. Esta se dispersa en charlas, como la que dio en la Universidad de Indiana en 1966, entrevistas, ensayos de índole autobiográfica y su primera novela, *Balún-Canán* (1957).[1] El impulso autobiográfico se

1 Para recrear la vida de R. Castellanos he usado los textos que siguen: Rosario Castellanos, *Mujer que sabe latín...* México: SepSetentas, 1973; «Rosario Castellanos» en *Hispanic Arts*, vol. I, No. 2 (Autum, 1967), pp. 67-70; Rhoda Dybvig, *Rosario Castellanos: Biografía y novelística*. México: Ed. de Andrea, 1965; «Rosario Castellanos», en *Los narradores ante el público*. México: Joaquín Mortiz, 1966, pp. 89-98; Rosario Castellanos, *El uso de la palabra*, José Emilio Pacheco y Danubio Torres Fierro. México: Ediciones de Excélsior, 1974.

inscribe fragmentadamente en sus textos. No obstante, aquí se subrayarán algunos elementos que pueden responder a la pregunta fundamental en la obra de Castellanos: ¿Qué es la cultura femenina?

La novela *Balún-Canán*, una *bildungsroman*[2] híbrida narrada principalmente por una niña de siete años, representa tres ejes de relaciones significativos. Estos incluyen la relación entre la niña y la nana, el hermano y los padres.

Castellanos afirma que cuando empezó a escribir *Balún-Canán*, aunque no muy segura de lo que habría de ocurrir en la narración, ya había decidido que uno de los eventos principales sería la muerte de su hermano.[3] Sus charlas y ensayos constantemente apuntan que su muerte traumatizó a sus padres y consecuentemente a ella. La muerta del hermano la arrojó al caos, la incertidumbre y la confusión; también fomentó una crisis totalizante en la familia y puso en evidencia los valores familiares referentes a la sexualidad. Un modo de vida hasta ese momento dado por supuesto se destruyó y desmitificó simultáneamente.

En *Balún-Canán*, el hermano se llama Mario. (A esta novela precede un cuento similar titulado «Primera revelación».[4] En él narra la muerte de un hermano menor vista a través del «yo» narrador de una niña. Primer borrador de un aspecto clave de la novela.) La relación hermano-hermana y la muerte de él es sub-tema en la obra. La pequeña narradora, quien no tiene nombre y siempre se la llama niña, nota que es verdad que ella y su nana son inseparables, y apenas reconocidas por la familia. En cambio, Mario es el receptor de toda la atención de los padres. La niña es ante todo una espectadora separada y marginada de la familia. Con respecto a su labor creativa, Castellanos subraya la dicotomía entre la experiencia de una niña y la de un niño. Dicotomía que empieza con el nombre con que se le identifica a la gente. Si el nombre de Mario, tanto como el de otros, se menciona una y otra vez, a la niña sólo se le identifica por su género, y a la nana por su rol de nutridora (que armoniza con las expectativas de su sexo) o por su raza. Aquí destaca el hecho

2 Dybvig, pp. 15-16.

3 Elena Poniatowska, «Rosario Castellanos», *México en la cultura*, 26 (enero, 1958), pp. 7, 10.

4 Rosario Castellanos, «Dos Poemas», en *Poesía no eres tú*. México: Fondo de Cultura Económica, 1972, p. 56.

de que si socialmente nana y niña se distancian, por la marginación se asemejan. Ni una ni otra poseen una individualidad a los ojos de los otros. No será sorprendente, entonces, que en otro contexto Castellanos diga que para ella la escritura y la definición (la autoapelación misma) son motivadas inicialmente por el deseo de verse a sí misma representada, objetivizada, reconocerse a sí misma y entenderse: «¿Pero cómo me llamo? ¿A quién me parezco? ¿De quién me distingo? Con la pluma en la mano inicio una búsqueda que ha tenido sus treguas en la medida que ha tenido sus hallazgos, pero que todavía no termina».[5] Para no ser una cosa entre muchas, similitudes y diferencias tienen que clarificarse e identificarse. Así, Castellanos escoge la escritura mediatizada por la memoria (biográfica) como vehículo instrumental para su propia descripción.

Para Castellanos la memoria es instrumentos cognoscitivo que sirve para salvaguardar la experiencia y rescatarla del olvido. Su convicción filosófica con referencia a esto se refuerza por medio de su lectura del libro *Materia y Memoria* de Henri Bergson, que leyó durante la preparación de su tesis de maestría en filosofía. El texto bergsoniano además le sugiere a ella dos de los títulos de su obra poética, *El rescate del mundo* y *Materia memorable*. De la obra de Bergson ella cita el siguiente pasaje:

La característica fundamental y primaria del espíritu es la memoria. La memoria representa la abolición de la barrera temporal más inmediata. Conservar el pasado y mantenerlo vivo, disponible constantemente, actuando a nuestra voluntad, es elastificar nuestro sentido del tiempo más allá del presente, es infundir coherencia a nuestro desenvolvimiento, a nuestro desarrollo. Pero también... el primer rescate que pagamos a la forma más elemental de la muerte: el olvido.[6]

Apropiarse de la memoria, sin embargo, no sólo es una misión de rescate de sí misma y de su mundo, ni tampoco sólo el placer de dar coherencia a la multiplicidad caótica de eventos pasados, por medio de la literatura, por ejemplo. La memoria está al servicio de la voluntad del sujeto que se esfuerza por entender mediante el recuerdo lo que pasó, entendi-

---

5 Castellanos, *Mujer que sabe latín...*, p. 196.
6 Castellanos, *Sobre cultura femenina*. México: Revista *Antológica*. Ediciones de América, 1950, p. 73.

miento que, por otro lado, puede llevarnos a la reconciliación con la realidad. Es evidente que la memoria mediatizada por la voluntad ayudó a
Castellanos a entender lo que había pasado, pero la reconciliación con el
contexto cultural nunca se logra. Así establece una gran tensión temporal y espacial, entendimiento y disyuntiva. La autorreflexión conjugada
con la reflexión sobre el contexto cultural en cuanto simultáneamente se
reflejan y se critican hacen del trabajo de Castellanos un compendio de
paradoja e ironía, enmarcado por la situación sociohistórica que las produce.

La niña narradora de *Balún-Canán* se sobrecoge de dolor y se culpa
de la muerte del hermano. Aunque no se dice directamente que la niña
deseaba la muerte del hermano, mientras éste agoniza en su delirio dice
que la llave de la capilla secreta que los hermanos habían robado debe
devolverse para que él sane. Ella no lo hace, tal vez por temor al castigo
o tal por desear hacer desaparecer a Mario, ya sea por rivalidad o celos
infantiles. Ella se paraliza y no hace nada. Escucha y lo observa morir.
En la confusión y el desorden que rigen en la casa a raíz de su muerte, la
niña está sujeta a sus mayores, que no le hablan. La niña observa a todos
los indios que pasan por la calle, buscando a la nana que desapareció. Al
no encontrarla se siente traicionada. La niña, enfurecida, dice que todos
los indios se parecen. Al volver a casa comenta: «Cuando llegué a casa
busqué un lápiz. Y con mi letra inhábil, torpe, fui escribiendo el nombre
de Mario. Mario, en los ladrillos del jardín. Mario en las paredes del corredor. Mario en las páginas de mis cuadernos».[7]

Durante una conferencia autorreveladora unos diez años después de
la publicación de *Balún-Canán*, Castellanos confiesa que

> Para conjurar los fantasmas que me rodeaban yo no tuve a mi alcance sino
> las palabras. Mas una vez pronunciadas su poder se evaporaba, se diluía en
> el aire, se perdía. Era preciso fijarlas en una sustancia más firme, en una
> materia más duradera. La cal de las paredes —donde apuntaba el nombre
> del muerto— se descascaraba.[8]

Castellanos descubre que para ella la permanencia de las palabras es ma-

7 Castellanos, *Balún-Canán*. México: Fondo de Cultura Económica, 1973, p. 291.
8 *Los narradores ante el público*, pp. 89-90.

yor cuando se documentan que cuando se hablan, el pasado corre el riesgo de perderse, inclusive su realidad cuando éste se consagra a la palabra oral. Para Castellanos, el arte y la escritura, la apelación y la representación de los objetos es equivalente a la propiedad del objeto mismo. Al darles existencia lingüística ella ejerce control sobre las cosas. Así, pues, sin dudas, puede decir: «No doy por vivido sino lo redactado».[9] Castellanos adopta esta perspectiva fenomenológica especialmente con referencia a sí misma para objetivarse en la escritura como ente femenino y para romper ese círculo, situándose como sujeto contingente. Al final de su vida pone en cuestión su propia perspectiva al enfocarse más directamente con el panorama sociopolítico referente a la mujer.

Si *Balún-Canán* termina con la muerte del hermano y la tentativa de la niña de invertir el hecho al escribir y evocar el nombre de Mario, para Castellanos la muerte del hermano inicia una serie de experiencias que marcan y escructuran su madurez. O sea, si el hermano muere, su memoria no. Según Castellanos, la muerte del hermano la arrojó «para siempre del campo visual de unos padres ciegos de dolor y nostalgia».[10] La reacción de las padres a la muerte del único hijo tuvo tal impacto sobre Rosario que décadas más tarde usa esa experiencia para diferenciar la actitud de los israelíes y los mexicanos ante la muerte. Escribe que para los israelíes

lo importante es la vida, no la muerte. Al contrario de lo que hacemos nosotros, que hemos convertido el sufrimiento en algo elegante, que da a quien pena una cierta aureola de superioridad... Yo soy capaz de apreciar la importancia de este porque crecí en un ambiente donde imperaba la tristeza: Mi hermano murió cuando tenía siete años y mis padres, que murieron quince años después, nunca se pudieron sobreponer a esta pérdida y jamás se quitaron el luto. Yo me rebelé más adelante (...) contra todo esto...[11]

El ser sujetada por sus padres al «sufrimiento elegante» es imborrable. Aparece en sus poemas, su prosa, a veces con rabia, a veces con distanciamiento. Así, las palabras se vuelen armas e instrumentos de auto-

---

9 *Los narradores ante el público*, pp. 89.
10 *Los narradores ante el público*, pp. 89.
11 Esperanza Brito de Martí, «Rosario Castellanos», *¡Siempre!* )14 nov. 1973), p. 42.

defensa y autoapropiación. Castellanos se apasiona con las palabras porque a temprana edad descubre que por medio de ella puede hacerse real, comprueba que existe y que otros también existen. No sólo conducen a lo real, sino que son instrumentos simbólicos que le posibilitan diferenciarse a sí misma de lo que le circunda. Una diferenciación y consecuentemente separación que ella opina que es como aliviarse de una enfermedad: «Yo estoy aparte, separada para siempre de lo que alguna vez albergué dentro de mí como se alberga... una enfermedad».[12] La palabra escrita como forma de liberación de las enfermedades es descubrimiento de la madurez; para la niña la palabra oral en sí con sus sonidos y cadencias es fuente de magia. Las palabras enunciadas pueden conciliar el sueño, conjurar sueños que niegan verdades dolorosas y hechos como la muerte del hermano y padres descuidados. La niña no tiene que ser

> aquella a quien la muerte ha desechado para elegir a otro, al mejor, a mi hermano. No soy aquella a quien sus padres abandonaron para llorar, concienzudamente, su duelo. No soy esa figura lamentable que vaga por los corredores desiertos y que no va a la escuela ni a paseos ni a ninguna parte. No. Soy casi una persona. Tengo derecho a existir...[13]

Hasta muerto, el hermano es el preferido de los padres y de la muerte misma.

No se puede enfatizar suficientemente que el descubrimiento de Castellanos por medio de la experiencia personal, que combatir al silencio con palabras, habladas o escritas, le posibilita emerger como entidad concreta, significativa e individualizada. Los efectos del silencio, la marginación, y la inhabilidad de nombrar y hablar, especialmente como se sitúa a los indios y a las mujeres, se vuelve uno de los temas sobresalientes de su obra. En el impulso apasionado por las palabras, Castellanos encuentra compañero en Jean-Paul Sartre. El observa en su autobiografía *The Words* (*Las palabras*) que

> ... como resultado de su descubrimiento del mundo por medio del lenguaje, por mucho tiempo pensó que el lenguaje era el mundo mismo. Existir era

---

12 Castellanos, *Mujer que sabe latín...*, p. 195.
13 Castellanos, *Mujer que sabe latín...*, p. 193.

equivalente a tener título oficial en las infinitas Tablas de la Palabra; escribir era como grabar un nuevo ser sobre (las cosas) o—y ésta era una de las ilusiones más persistentes— atrapar las cosas vivas existentes dentro de las frases: si yo combinara las palabras ingeniosamente, el objeto se enredaría entre los signos, lo tendría entre las manos.[14]

La pasión por las palabras junto con la convicción de que los objetos se podían poseer y dominar de esta manera, lleva a la escritura misma en el joven Sartre, una situación análoga a la de Castellanos cuando nos dice que cuando ella empezó a escribir con intenciones profesionales, experimentó muchas dificultades en controlar la escritura de tal manera que dijera y significara algo específico. El lenguaje y la escritura tienen su propio camino, que aunque divertido es incomprensible para otros.

Esta coincidencia de actitud entre Sartre y Castellanos resulta de que la niñez de ambos fue aislamiento, con sólo libros por acompañantes, libros que por otro lado difieren muchísimo en cada caso. Si en su juventud Castellanos entendía al lenguaje como vehículo para salvación personal de una situación crítica, en su madurez, como hemos de ver, la vocación literaria surge como respuesta a una situación de emergencia donde corría peligro extremo.[15]

El potencial del lenguaje tanto como las situaciones críticas en las cuales puede verse comprometido el ser humano, se ha vuelto tópico común en el siglo XX. Ludwig Wittgenstein en su *Tractatus Logico-Philosophicus*, pensaba que la crisis se debía a la pérdida de precisión en la autoexpresión, la cual amenazaba la percepción de la realidad por el hombre. En *Investigaciones filosóficas,* Wittgenstein abandona la posibilidad de representar transparentemente la relación entre palabra y objeto. Insiste que «siempre tenemos que tomar en cuenta el contexto, el juego del idioma en que se enuncian las palabras», subrayando que el proceso de la enseñanza del nombrar de la experiencia y las sensaciones empieza en la infancia misma a través de la mediación de los adultos. Entre el deseo de fijar los significados y el hecho de que los significados dependen

14 Jean-Paul Sartre, *The Words*, trad. Bernard Frechtman. New York: Vintage Books, 1981, p. 182.
15 Castellanos, *Mujer que sabe latín...*, p. 191.

del contexto sociocultural e histórico se viene debatiendo no sólo Castellanos sino todo el siglo XX.[16]

Octavio Paz enfatiza el potencial liberador de la palabra. En 1949 titula su colección de poemas *Libertad bajo palabra* y ve a la palabra como fuente del cambio, como manera de «libertad que se inventa y me inventa cada día».[17] Obviamente, esta actitud literaria influyó a Castellanos. La preocupación de Paz por la palabra, sin embargo, a menudo se hace esteticismo formal, evadiendo su función sociocultural. O sea, las palabras que podrán reinventar su existencia hermetizada *a priori*. Paz prefiere el juego intertextual de las palabras, que se refieran entre sí. Prefiere afiliarse al esteticismo poético que, según Barthes, «destruye la funcionalidad espontánea del lenguaje... retiene sólo la forma superficial de las relaciones...».[18] Paz define esa rama poética moderna que se ha autodesignado vanguardista como una experiencia que implica «una negación del mundo exterior...».[19] Así la búsqueda liberadora, que en el caso de Paz Jason Wilson llama «la poética del autoconimiento»,[20] rinde una ética y una estética considerablemente diferentes de las de Castellanos, aunque de ella también se puede afirmar que le interesa el autoconocimiento. Para Castellanos, el mundo exterior es importante porque esa exterioridad está estructurada social y culturalmente e íntimamente conectada con la búsqueda del autoconocimiento.

Para Castellanos la existencia se sitúa en un tiempo histórico contingente. Desde este sitio, la vida a menudo se percibe como un proceso nebuloso y fragmentado que requiere y necesita orden y nombramiento, tomando en cuenta el contexto sociohistórico dentro del cual los hechos tienen lugar. Virginia Woolf, por ejemplo, revela cómo las palabras la ayudaron a poner orden a la existencia:

---

16 John Passmore, *A Hundred Years of Philosophy*. New York: Penguin Books, 1978, p. 432.

17 Octavio Paz, *Libertad bajo palabra*. México: Fondo de Cultura Económica, 1968, p. 10.

18 Roland Barthes, *Writing Degreee Zero*. Boston: Beacon Press, 1970, pp. 46, 47.

19 Octavio Paz, *Corriente alterna*. México: Siglo XXI Editores, 1970, p. 7.

20 Jason Wilson, *Octavio Paz: A Study of His Poetics*. New York: Cambridge University Press, 1979, p. 66.

... un choque en mi vida es inmediatamente seguido por el deseo de explicarlo. Siento que me han dado un golpe, que no es, como lo pensaba cuando niña, simplemente un golpe del enemigo escondido tras el algodón protector de la vida diaria; es o se volverá una revelación de algún orden; es un símbolo de algo real tras las apariencias; y lo hago real al traducirlo en palabras. Sólo al nombrarlo puedo hacerlo completo; esta plenitud significa que ha perdido el poder de dañarme; tal vez porque al hacerlo desaparece el dolor, me deleito mucho al unir las partes desunidas.[21]

El deseo de explicar «los golpes en la vida», al creer que la experiencia no es sólo contingente sino que también pertenece en algún sentido a un orden que las apariencias no hacen evidente, Woolf produce significados para sí. La interrelación entre la experiencia personal inmediata y las palabras sugieren el orden al que pertenecen, y para Barthes ambos son una manera de concebir la literatura y una «confrontación del escritor con la sociedad de su tiempo»; que «por otro lado, desde ese propósito social, devuelve al escritor, por medio de un reverso trágico, a las fuentes, o sea, a los instrumentos de la creación».[22] Es decir, que el texto literario se desdobla simultáneamente en dos vertientes —la que capta una verdad sociocultural y la que reinscribe por medio de la palabra, atrapada en redes significativas, el sistema vigente; esto es, se mitifica y desmitifica a la vez. Dentro de ese momento debe intervenir la crítica.

No obstante las observaciones de Barthes, la noción de hacer lo nebuloso o las apariencias reales, o de explicarlas, es una actitud intencional hacia el lenguaje que también Simone Weil comparte con Castellanos. Según Weil es un esfuerzo por «enfrentarse con el mundo».[23] Para Castellanos el lenguaje es un medio cuyo poder yace en la posibilidad de ayudarla a entender, examinar, definir, y reconstruir su expriencia. Dice: «... la mejor amiga de mi adolescencia era casi muda (...) yo estaba poseída por una especie de frenesí que me obligaba... a definir mis estados de ánimo, a interpretar mis sueños y recuerdos. No tenía la menor idea de lo

---

21 Virginia Woolf, *Moments of Being*. New York: A Harvest/HBJ Book, 1976, p. 72.
22 Barthes, pp. 15, 16.
23 Simone Weill, *Lectures on Philosophy*. London: Cambridge University Press, 1978, p. 68.

que era ni de lo que iba a ser y me urgía organizarme y formularme, antes que con actos por medio de las palabras».[24] Sin embargo, como veremos, las posiciones críticas que Castellanos adopta ante la herencia cultural también le harán compartir la perspectiva de Barthes.

El drama biográfico, que en términos de Woolf es «Choque y Golpe» al ser, se acentúa en Castellanos después de la muerte de su hermano. Con el cierre de las escuelas privadas en Chiapas por orden del gobierno de Cárdenas, los padres de Castellanos, que sufrieron reveses económicos a raíz de la reforma agraria de Cárdenas, se negaron a mandar a Rosario a la escuela pública, lo cual la privó aún más del contacto social. Para agravar la situación, Castellanos, a diferencia de Sor Juana, no tenía una buena biblioteca. Su padre tenía una colección de libros de ingeniería y las obras completas de Shakespeare en inglés que había adquirido durante sus estudios en Filadelfia. De modo que aparte de los textos usados para la instrucción en casa, su único estímulo intelectual eran los periódicos, un ejemplar expurgado de *Las mil y una noches*, la poesía de Amado Nervo y una obra de Gregorio Martínez Sierra que recibió al cumplir 13 años. Según Castellanos estos libros eran vistos como buenas lecturas para jóvenes decentes.

En una narración titulada irónicamente «Historia mexicana»,[25] Castellanos crea a una protagonista que es su doble. Es la historia verdadera de Cecilia, una adolescente de provincia. Cecilia «era anormal», y su anormalidad consistía en hablar. Decía todo lo que se le ocurría y se negaba a callarse. Era castigada continuamente por sus padres, tenía que hacer penitencia, se burlaban de ella. La historia de Cecilia termina felizmente porque los padres son forzados a mudarse de la provincia a la Ciudad de México donde Cecilia espera obtener una educación superior. La mudanza fue la única alternativa, pues de no ser así habrían tenido que encerrar a la hija en un manicomio ya que los vecinos opinaban que la niña estaba loca. La historia de Cecilia, narrada burlonamente por Castellanos, refleja no sólo el deseo de ella de hacer desaparecer el silencio y nombrar la realidad por medio de la palabra, sino también es producto de que en la década del cuarenta, cuando Castellanos era una ado-

---

24 Castellanos, *Los convidados de agosto*. México: Ediciones ERA, 1977, p. 11.
25 Castellanos, «Historia mexicana», en *El uso de la palabra*, pp. 48-51.

lescente, pasó por «un primer tratamiento sicoanalítico que equivalía a un diploma de adaptación a mis circunstancias».[26]

En la historia de Cecilia, es el hecho que habla, nombra y define lo que les hace la vida difícil a los padres en su pueblo de provincia. O sea, que Castellanos emplea experiencias vitales dándonos múltiples interpretaciones. En los comentarios autorreferenciales dice que la causa de la mudanza a la capital de México fue la pérdida de las tierras familiares. Además, su educación ahora no sólo era una necesidad económica sino que suplía la del hijo. Castellanos ha dicho que antes de la muerte de su hermano, a sus padres no les preocupaba su educación porque la veían destinada al matrimonio, preferiblemente con uno de los hacendados de Chiapas, lo que mantendría la tierra dentro del grupo hacendado ladino.

Castellanos da gran importancia a la reforma agraria de Cárdenas, pues forzó a muchos latifundistas a devolver la tierra a los indígenas. De este evento histórico, ella dice:

> Sobre mí este fenómeno nacional tuvo repercusiones muy hondas. Por una parte, la certidumbre de mi superioridad racial, social y económica —que de haber continuado viviendo en Chiapas fiel a sus tradiciones habría disfrutado sin ningún sobresalto y como uno más de los dones hereditarios— y por la otra me obligó a encontrar asideros, valores que conquistar y de los cuales adueñarme para sentirme digna de vivir.[27]

Para Castellanos, Cárdenas fue, en sus propias palabras, «El hombre del destino». Las fuerzas históricas externas a la provincia de las reformas cardenistas fueron importantísimas en la formación de su conciencia social, en contraposición a la heredada, una especie de «derecho divino» al privilegio, y en un nivel personal la ayudó a escaparse del carácter ritual y repetitivo de la vida de las mujeres de provincia. Sin embargo, si Castellanos escapó de esa vida, para muchas de sus «vecinas de provincia» no fue así; consecuentemente éstas se vuelven sujetos de su narrativa junto con ésas que evaden su situación al sumergirse en un mundo fastasmagórico.

Sin embargo, como Castellanos observa en otro contexto, el «zoon

---

26 *Hispanic Arts*, p. 69.
27 *Hispanic Arts*, p. 67.

politikon» aristotélico la mueve mucho más tarde en su vida.[28] Piensa que de la adolescencia hasta casi cumplir 30 años hubo un paso lento de «la más cerrada de las subjetividades al turbador descubrimiento de la existencia del otro y, por último, a la ruptura del esquema de la pareja para integrarme a lo social que es el ámbito en que el poeta se define, se comprende y se expresa».[29]

Lo que Castellanos llama «la más cerrada de las subjetividades» probablemente se explica mejor por medio de lo que dice sobre Cecilia en «Historia mexicana»: «Cecilia no veía a los otros... se veía a sí misma reflejada en ellos y la imagen la desazonaba y la entristecía».[30] La poeta norteamericana Adrienne Rich ha comentado que las mujeres «están hambrientas de imágenes»,[31] imágenes que ellas mismas hayan creado o que reflejen alternativas para entender su vida por medio de ellas. Parece que la joven Castellanos sufría del «hambre de imágenes» y de la falta de alternativas para realizarse. En la década del cuarenta, cuando ella trataba de descubrir los perímetros de su existencia por sí misma tanto como las imágenes que la habían definido, todavía no tenía conciencia de que para actualizar lo que más tarde sería su concepción de la literatura, o sea, aquello «que le proveyera conocimientos sobre la humanidad masculina y femenina...»,[32] tendría que inscribirse y redescubrirse dentro del texto literario y social. Su escritura temprana, que nunca se publicó, consistió en meditaciones poéticas que trataban sobre las «profundidades» de la vanidad de vanidades y de la vida, y una concepción del amor como un vago fervor místico. Así pues, su «estremecimiento» al descubrir la poesía de Delmira Agustini y la versión del amor como pasión erótica en el trabajo de Pablo Neruda. Dentro del contexto del mundo rígidamente moral de provincia, al amor no se le permitía verse como sentimiento que incluyera el erotismo. En la década del setenta, después de haber adquirido cierta distancia intelectual, Castellanos observa que

---

28 Castellanos, *Mujer que sabe latín...*, p. 203.
29 Castellanos, *Mujer que sabe latín...*, p. 203.
30 Castellanos, «Historia mexicana», p. 49.
31 Observaciones hechas durante una conferencia ofrecida en la Universidad de Indiana en la primavera de 1979.
32 Naomi Lindstrom, «Rosario Castellanos: Representing Woman's Voice», *Letras femeninas*, Vol. V, núm. 2 (Otoño, 1979), pp. 29-30.

«dentro de una sociedad enajenada una de las criaturas más enajenadas, como lo es la mujer, no tiene acceso a la autenticidad, ni siquiera por la vía de la creación».[33] La búsqueda de la autenticidad se limita o se escamotea por los obstáculos sociales, económicos y morales de tal manera que la creatividad misma está condenada a la repetición de «profundidades» que llevan o a la negación del ser individual o a producir un ser cerrado. En la década del cuarenta, sin embargo, Castellanos no parece tener un entendimiento claro de la alienación de la mujer dado el contexto cultural en que se crió. A la vez tal contexto se produce dentro de un marco colonial. Lo más importante que ella percibe entonces es que la autoexpresión y el autoentendimiento son metas imperativas, y éstas pueden actualizarse por medio de la palabra escrita. Durante su juventud es muy probable que ni siquiera intuyera que un día habría de decir:

Quizá hacer una obra(...)
¿Obra? ¿Cambiar la faz de la naturaleza?
¿Añadir algún libro a las listas bibliográficas?
¿Hacer variar el rumbo de la historia?

Pero es esto es asunto —otra vez— de hombres
y del tiempo medido al modo de los hombres

y según los criterios

con los que ellos aceptan o rechazan.[34]

La joven escritora que esperaba «cambiar la faz de la naturaleza», todavía no llegaba a entender de manera decisiva que su alienación no era sólo resultado del ámbito familiar o de la vida de provincia, sino que se fundamentaba en un patriarcado mucho más extenso y que posee los propios criterios con los cuales se ha definido «la naturaleza, la historia y la literatura». Además, los libros por sí mismos no pueden cambiar el orden de las cosas, éstos tienen que ser acompañados por alguna forma de acción colectiva social. El poeta mexicano José Emilio Pacheco ha afir-

---

33 Castellanos, *El uso de la palabra*, p. 231.
34 Castellanos, «El retorno», en *Poesía no eres tú*, p. 340.

mado que los lectores de Castellanos verdaderamente no entendieron
sus propósitos literarios: «Cuando se releen sus libros se verá que nadie
en este país tuvo, en su momento, una conciencia tan clara de lo que significa la doble condición de mujer y mexicana, ni hizo de esta conciencia la materia misma de su obra, la línea central de su trabajo. Natural-
mente, no supimos leerla».[35] El hecho de que sus lectores no supieran leer el esfuerzo escavatorio de Castellanos en la representación de las mujeres y sus interrelaciones se fundamenta en la ideología vigente de criterios «con los que ellos aceptan o rechazan». Por eso mismo Castellanos
trata de aclarar su proyecto mediante sus ensayos. Pacheco está de acuerdo con Castellanos en que el ser mujer y mexicana es una «doble condi-
cion», haciendo eco a la noción de Castellanos de que la mujer sufre una
doble alienación en el tercer mundo —social y cultural/racial. La noción de que las mujeres son alienadas, marginadas u orpimidas de manera doble y aun triple (incluyendo clase socioeconómica) encuentra aceptación entre las mujeres de las minorías étnicas en los Estados Unidos,
ya sean negras, puertorriqueñas o chicanas. Lo que hace notar que aun
dentro del contexto de una nación como México, donde podría suponer-
se que las mujeres sólo sienten el impacto de la opresión patriarcal local,
ella muestra el impacto de las relaciones socioculturales internacionales
y su potencia para afectar a las mujeres. Castellanos percibe a México como país y cultura tercermundista, producido por un pasado colonial y el
neocolonialismo capitalista, y abierto a un futuro que no puede evadir
sus conexiones o dependencias del patriarcado internacional anglo-
europeo en todos los niveles de la vida. Hacer cortocircuito del análisis
de la condición de las mujeres al examinar la cultura en que se crió es cerrar la mente a la interdependencia inherente tanto como a los ejes eslabonados que conectan a las mujeres entre sí en un contexto global. Castellanos entendió bien este fenómeno que dramatiza excelentemente en
su farsa publicada póstumamente, *El eterno femenino*, y en varios ensayos. *El eterno femenino* encadena una serie de actos que representan a
personajes femeninos extraídos de los estereotipos sociales, la historia y
el mito. Castellanos concluye la obra urgiendo a las mujeres mexicanas a
que inventen su propia conciencia feminista, ya que las formas importa-

---

35 Castellanos, *El uso de la palabra*, p. 8.

das no pueden ser fácilmente aceptadas o asimiladas. Las posiciones feministas más militantes de Castellanos se encuentran en su colección de ensayos *El uso de la palabra*.

El desarrollo de esta vertiente «militante» del pensamiento feminista de Rosario Castellanos tiene lugar hacia los últimos diez o quince años de su vida, aproximadamente entre 1960 y 1974. Y, con excepción de Virginia Woolf y Simone de Beauvoir, anticipa mucho del pensamiento feminista contemporáneo en Europa y en los Estados Unidos, especialmente mediante estrategias deconstructoras. Pero, como Castellanos nos dice, el «zoon politikon» le toca tarde y hacia el final de la década del cuarenta, en busca de una disciplina académica para estudiar, se decidió por la filosofía, en parte porque se enfocaba, como ella nota, sobre «las grandes preguntas».[36] Sus padres la habían animado a estudiar algo pragmático, como química o derecho. Aunque ella había asistido cursos literarios, la manera en que se enseñaba la literatura entonces la decepcionó, pues «la enumeración de fechas y de nombres, el catálogo de estilos y el análisis de los recursos no me ayudaban en lo más mínimo a entender nada».[37] El deseo de «enfrentarse con el mundo» no se le facilitaba ni siquiera por medio de lecturas de poetas contemporáneos, con la excepción de Alfonsina Storni, a quien admira por el uso de la ironía, y de Mistral, en quien admira el uso de las imágenes. Con respecto a las respuestas a las grandes preguntas o al entendimiento, la mayoría de las poetas latinoamericanas que Castellanos conocía entonces, según ella, reflejaban una «subjetividad cerrada». Hay que decir que Castellanos empezaba a definirse a sí misma como escritora en oposición fundamental a sus precursoras. En su búsqueda de precursoras que sirvieran para diferenciarse de lo ortodoxo siente gran afinidad con Storni y Sor Juana Inés de la Cruz, al igual que con Gabriela Mistral, aunque su admiración por la última excluye la aceptación de los valores mistralianos desarrollados en la poética. (Véase el capítulo IV para una elaboración de esta perspectiva.)

Después de estudiar filosofía, Castellanos termina su trabajo de maestría universitaria con una tesis titulada *Sobre cultura femenina* (1950).

---

36 Castellanos, *Mujer que sabe latín...*, p. 205.
37 Castellanos, *Mujer que sabe latín...*, pp. 204-205.

La tesis revela que una de las «grandes preguntas» de Castellanos era la posición y relación de la mujer con la cultura, especialmente la cultura erudita o avanzada con referencia a la filosofía, el arte y la escritua. Las respuestas que buscara con referencia a sí misma como ente cultural o para apoyar sus propósitos profesionales no las encontró en la filosofía. Al contrario, lo que descubre en el curso de sus investigaciones textuales seleccionadas es que, como ente o agente cultural, la mujer no existe.

La tesis de Castellanos se sitúa entre los extremos de la reconciliación y la rebelión. Es seria y cómica, es una afirmación de la cultura femenina por medio de argumentos negativos y es una negación ironizada de la necesidad de expresarse culturalmente porque las mujeres satisfacen su necesidad de inmortalidad por medio de la maternidad. Concluye con una posición feminista con respecto al discurso de la diferencia, pero en el texto niega al feminismo, expecialmente como discurso de la igualdad. Es una serie de contradicciones elaboradas cómicamente. Al puntualizar el texto sarcástica e irónicamente, Castellanos pone en cuestión su conclusión reconciliada con la filosofía examinada.

El último capítulo del trabajo invita a las mujeres a reinscribirse a sí mismas mediante el examen de la experiencia única y a apartarse de la representación masculina que han heredado e internalizado. Castellanos reclama que las representaciones metafísicas (onto[teo]lógicas) de la feminidad son verdaderas porque sin duda han reflejado a las mujeres anteriores y ejercen control ideológico sobre las contemporáneas. Niega su solidaridad con «las y los feministas» porque encuentra sus reclamos y optimismo falsos. Castellanos sostiene que las feministas antes de 1950 no se esfuerzan por enfrentarse a la supremacía totalizante masculina, que para ella es evidente en tanto que:

> El es quien inventa los aparatos para dominar a la naturaleza, y para hacer el tránsito humano sobre la tierra más cómodo, más fácil, más agradable. El es quien lleva a cabo las empresas comerciales, las conquistas, las exploraciones y las guerras. El es quien dice los discursos, organiza la política y dicta las leyes. El es quien escribe los libros y quien los lee, quien modela las estatuas y el que las admira. El descubre las verdades y las cree y las expresa. El es el que tiene los medios de comunicación con Dios, el que oficia en sus altares, el que interpreta la voluntad divina y el que la ejecuta. El es el

que diseña los vestidos que usarán las mujeres y el que aprueba el diseño de los vestidos. El es...[38]

Castellanos ve el patriarcado, a veces burlonamente, a veces en serio, como el que tiene el control y posesión del mundo, desde lo más frívolo como la moda, hasta lo divino. La inserción de algunas mujeres excepcionales en la cultura masculina no puede cambiar el mundo, ni la situación de la mujer, ni la propia. Desde esta perspectiva, la invocación a las mujeres a reinscribirse a sí mismas es mucho más radical de lo que parece a primera vista, pues es un reto a descubrirse conscientemente y de reconstruirse a sí mismas y a su mundo.

*Sobre cultura femenina* revela a una joven en combate con el ámbito intelectual, social, económico, político e histórico de su tiempo, en suma, contra el patriarcado y sus derivados. Sin embargo, la presentación de la tesis a «los sinodales» causó mucha risa. Parece que Castellanos, en la defensa oral de su trabajo, afirmó que «las escritoras son escritoras porque no tienen hijos».[39] Muchos de los comentarios que hace con referencia a la defensa de su tesis muestran que Castellanos no tomó muy en serio ese rito académico, y es muy probable que la risa salvara una situación que bien se habría podido convertir en un trance político difícil. No obstante, Castellanos, en serio y según la evidencia, sí sacó en limpio de este trabajo que la maternidad y la escritura no eran fácilmente compatibles. Al escribir su tesis consiguió el apoyo moral e intelectual para su punto de vista del ensayo de Virginia Woolf *Three Guineas*, escrito en vísperas de la Segunda Guerra Mundial. Allí, Woolf analiza y se burla del hecho de que el patriarcado sea dueño de las fuerzas militares y de la educación superior. Castellanos también revela semejanzas y diferencias con el *El segundo sexo* (1949) de Simone de Beauvoir. Es difícil saber si Castellanos leyó este libro antes de la preparación de su tesis. Victor Baptiste reporta que Castellanos ha sido apelada la Simone de México, y que desde París Octavio Paz le mandó un ejemplar de *El segundo sexo* en 1950.[40] Aunque la influencia de Simone de Beauvoir sobre la obra de

---

38 Castellanos, *Sobre cultura femenina*, p. 79.
39 Poniatowska, p. 7.
40 Victor Baptiste, «La obra poética de Rosario Castellanos». Disss University of Illinois, 1967, p. 6.

Castellanos en su totalidad es evidente, dudo que el libro le haya llegado a tiempo para la preparación de *Sobre cultura femenina*. En todo caso, Castellanos cita a Woolf en su bibliografía y no a De Beauvoir. Lo importante e interesante en las obras de estas dos mujeres que interrogan a la filosofía como mujeres es que, no obstante la marcada diferencia en los libros filosóficos que manejan, coinciden en puntos claves.

Según Simone de Beauvoir, el pensamiento masculino ha concebido al hombre como trascendencia, y a la mujer como inmanencia. En la terminología empleada por Castellanos, el hombre es actor y hacedor, y la mujer un puro ente natural. Dentro del argumento de De Beauvoir, la participación cultural de la mujer no es algo raro, pero sí está limitada entre los extremos de aceptación o rebelión. Esto es, sometimiento o negación. Castellanos acepta irónicamente la afirmación filosófica de que las mujeres no tienen ni la necesidad ni la inclinación hacia la participación cultural. Así, declara que la poca evidencia de tal participación tiene que justificarse de alguna manera.[41] O sea, si los filósofos lo dicen tendrá que ser verdad, ¿cómo puede una estudiante rechazar tal posición? La estrategia retórica de Castellanos es invertir la problemática de la participación cultural femenina. En vez de argüir, como se ha hecho en recintos feministas, que sí hay una producción cultural femenina comprobable en las obras de algunas mujeres, aunque sea de unas pocas. Castellanos decide justificar las excepciones mediante el discurso filosófico que *a priori* da por verdadero.

Si «húbose una vez» que los hombres y las mujeres tenían acceso a la eternidad, el primero por medio del arte y la segunda por medio de la maternidad, éste ya no es el caso. Según Castellanos, la maternidad ha sido degradada, y ya no goza del valor social. Dado que algunas mujeres están muy conscientes de ello, hace tiempo que han elegido hacer cosas que difieren del «mandato» y «destino» biológico. Desde este ángulo, Castellanos parece estar de acuerdo con De Beauvoir en la afirmación de que el sexo que «da a luz» se ha devaluado. De Beauvoir observa que «La vida no es el valor supremo para el hombre; al contrario, la vida ha de servir a propósitos más importantes que la vida en sí (...) No es en el 'dar a luz' sino en arriesgar la vida que el hombre se pone por encima de los

---

41 Castellanos, *Sobre cultura femenina*, p. 32.

animales. Por eso la superioridad en la humanidad se ha otorgado al sexo que mata y no al sexo que da a luz».[42] Castellanos no reconoce la superioridad del hombre; empero sí afirma que, desde una perspectiva cultural, el sexo que «da a luz» no parece tener valor. Al pensar la ecuación filosófica mujer=naturaleza, Castellanos opina que la función reproductiva ya no confiere ningún sentido de permanencia y, como consecuencia, valor para el individuo existencial. Arguye que el máximo valor del mundo occidental se le otorga a las instituciones y al arte, los cuales en gran parte han sido producidos por hombres.

Dada la pregunta fundamental de Castellanos —la participación de las mujeres en la cultura—, su falta de documentación y de preparación, los filósofos que consulta para abordar el tema —Schopenhauer, Weininger, Simmel, Moebius—, su ira junto con la intuición de que algo fallaba, la discontinuidad en su tesis era inevitable. En efecto, la ironización de los términos filosóficos opuestos que mediatizan los significados nos resulta una deconstrucción que no alcanza a teorizarse en la tesis. Como resultado, *Sobre cultura femenina* se puede definir más bien como un documento por medio del cual Castellanos sostiene un prolongado diálogo con las autoridades en su búsqueda del autoconocimiento. Consigue desmitificarlas mediante el apoyo de posiciones estratégicas extremas, ya sea del lado de la cultura, ya de la naturaleza, con el propósito de invalidar todos: a ellos y a sí misma. En contraste con lo afirmado —que las mujeres necesitan valerse de la producción cultural para obtener la permanencia— Castellanos salvaguarda la fe en la escritura y en la producción cultural femenina.

En el primer capítulo de la tesis, Castellanos resume las ideas de los filósofos mencionados sólo para concluir que para ellos no existe la cultura femenina. En el segundo capítulo, afirma que la cultura «es un mundo distinto del mundo en que yo vegeto».[43] Castellanos es consciente de que la filosofía excluye a la mujer, pues, cuando los filósofos aluden a ella, lo hacen para marginarla como participante en el proyecto ontológico de la cultura racional. Hace hincapié en que las «autoridades» están de acuerdo en que las mujeres no son seres racionales. Es curioso que

---

42 Simone de Beauvoir. *The Second Sex*. Trad. y ed., H.M. Parshley. New York: Vintage Books, 1974, p. 72.

43 Castellanos, *Sobre cultura femenina*, p. 34.

Castellanos, al pasar revista a los diversos padres-filósofos consultados
por ella, nunca menciona a José Ortega y Gasset. Ortega, por ejemplo,
ha dicho explícitamente: «Cuanto más hombre es uno, más se siente lle-
no de racionalidad. Todo lo que hace y actualiza, lo hace y lo actualiza
por alguna razón, especialmente por alguna razón práctica». Y no es posible suponer que Ortega se refiera a la humanidad al decir «hombre»,
pues continúa sus reflexiones: «El amor de la mujer, la entrega divina de
la ultrainterioridad de su ser que la mujer apasionada hace, es tal vez la
única cosa que no se actualiza por medio de la razón. El núcleo de la
mente femenina, no importa lo inteligente que sea, está ocupado por una
fuerza irracional. Si el hombre es el ente racional, la mujer es el ente
irracional.»[44] Es probable que Castellanos no conociera estos escritos de
Ortega, o bien que no quería interrogar a ningún autor hispano ya que
tendría que defender sus perspectivas frente a los admiradores de Ortega
o sus colegas. En otra ocasión, Castellanos escribió un ensayo en el que
coloca a Ortega entre «los intelectuales burgueses que, a pesar de haber
descubierto que el movimiento de la historia es incesante, continúan
confundiendo su forma de cultura y civilización peculiares con la única
cultura y la única civilización posible...»[45]

En fin, los filósofos examinados opinan que la creación activa de la
cultura es masculina, actividad para la cual la mujer no está «natural-
mente» dotada. En vez de oponerse a las autoridades, Castellanos elige
estar de acuerdo con ellas e ironiza su elección. Rehusando tácticas di-
rectas, asume la posición inferior asignada a su sexo a la manera de Sor
Juana en *La Respuesta*, y de Virginia Woolf en *Three Guineas*. Al adoptar
esta posición, que también es método interpretativo, Castellanos arguye
que dado el hecho de que ella es mujer, se halla constitucionalmente
inepta para emplear aquellos métodos elaborados por hombres; por
ejemplo, la lógica, ya que las autoridades citadas en el primer capítulo lo
habían afirmado así. Dice:

---

44 José Ortega y Gasset, «Landscape with a Deer in the Background», en *On Love:
Aspects of a Single Theme*. New York: Meridian, 1957.
45 Castellanos, *Juicios sumarios*. Xalapa, Veracruz: Universidad Veracruzana, 1966,
pp. 417-418.

... no sólo mi mente femenina se siente por completo fuera de su centro cuando trato de hacerla funcionar de acuerdo con ciertas normas inventadas, practicadas por hombres y dedicadas a mentes masculinas, sino que mi mente femenina está muy por debajo de esas normas y es demasiado débil y escasa para elevarse y cubrir su nivel... ¿Pero hay un modo de pensar específico de nosotras?... Los más venerables autores afirman que una intuición directa, oscura, inexplicable y, generalmente, acertada. Pues bien, me dejaré guiar por mi intuición.[46]

También, implícitamente, Castellanos hace suyas algunas de las preguntas y respuestas de Woolf; por ejemplo: «¿qué es esta "civilización" en que nosotras nos encontramos? ¿Qué son estas ceremonias y por qué hemos de participar en ellas? ¿Qué son estas profesiones y por qué hemos de hacer dinero con ellas? ¿Adónde, en fin, nos lleva la procesión de los hijos de hombres educados?»[47] En el ejemplo del capítulo tan cómico sobre la metodología, Castellanos parece haber seguido el consejo de Woolf contra «la prostitución intelectual» y «debes de rehuir la venta de tu cerebro sólo por dinero... Inmediatamente que la mula dé vuelta a la noria, salta. Búrlate del juego».[48] La filosofía, en efecto, queda burlada. La cultura es un mundo muy diferente al que vegeta ella. Castellanos encubre su inconformidad con la burla irónica y de vez en cuando halla salida para decir abiertamente: «me está vedada una actitud: la de sentirme ofendida por los defectos que esos señores a quienes he leído y citado, acumulan sobre el sexo al que pertenezco».[49]

La exposición de su trabajo pretende conformarse a las expectativas ortodoxas de tales documentos: declaración del problema, el método, la investigación, las conclusiones alcanzadas. Sin embargo, al afirmar en las conclusiones que las mujeres no sienten la necesidad de participar en actividades culturales porque «La mujer satisface su necesidad de eternizarse por medio de la maternidad...»,[50] la afirmación no detalla que en el capítulo donde se analizó el tema, ella se burló de los temores masculi-

---

46 Castellanos, *Sobre cultura femenina*, p. 33.
47 Virginia Woolf, *Three Guineas*. New York: Harcourt Brace Jovanovich, 1966, p. 63.
48 Woolf, *Three Guineas*, p. 80.
49 Castellanos, *Sobre cultura femenina*, p. 31.
50 Castellanos, *Sobre cultura femenina*, p. 101.

nos sobre la mujer al decir: «Cada mujer es, antes del matrimonio, una Circe en potencia. Y después de casada una Circe en plenitud. Y cada hombre soltero es un candidato a víctima de Circe. Y casado, un candidato metamorfoseado en... víctima».[51] Las «autoridades» niegan la existencia de la cultura femenina y afirman que el destino de la mujer es la maternidad. Castellanos entonces se pone a comprobar que las mujeres no sienten la necesidad de participar culturalmente porque tienen acceso a la eternidad por medio de la maternidad. Su interpretación exagerada del deseo de la mujer de ser madre, transforma a los hombres en sementales:

> La mujer persigue al hombre, lo engaña con el señuelo de la belleza, de la felicidad, del placer, pero en el fondo trabaja por los hijos posibles y busca en el hombre no al ser humano, sino al macho, no a la persona, sino al padre. Procura apartar a su compañero de todo interés que gravite fuera de la órbita sexual y familiar porque quiere hacer de él el instrumento más adecuado para sus fines.[52]

Castellanos reduce al absurdo las posiciones de los filósofos ante la mujer y la de la mujer ante los hombres. Acosa la ansiedad masculina de la legitimidad paterna: «No tiene, no puede tener la evidencia desgarradora, absoluta, de que el hijo es suyo».[53]

Como método la retórica irónica en *Sobre cultura femenina* le sirve a Castellanos para efectuar distanciamiento y no tomar responsabilidad directa sobre comentarios y críticas tanto como para apoyar la noción de que la mujer representa la irracionalidad misma. Por un lado Castellanos no quiere respaldar la idea de que no ha habido producción cultural femenina; por otro, tampoco quiere defender a todas las mujeres por medio de unas pocas como lo hacen «los (sic) feministas».[54] No obstante, una vez que ella se localiza fuera de la cultura que «ha sido creada casi exclusivamente por hombres...»[55] y que acepta la noción de que no hay

---

51 Castellanos, *Sobre cultura femenina*, p. 80.
52 Castellanos, *Sobre cultura femenina*, p. 84.
53 Castellanos, *Sobre cultura femenina*, p. 83.
54 Castellanos, *Sobre cultura femenina*, p. 89.
55 Castellanos, *Sobre cultura femenina*, p. 89.

cultura femenina porque no le ha sido necesaria a la mujer ya que la maternidad le basta para eternizarse, Castellanos se ve atrapada por su propia retórica. O sea, que emplea las dicotomías conceptuales para explotar al absurdo las diferencias sexuales; mas esto la mete en un callejón negativista sin salida. La ironía no es el recurso para entablar la acción positiva para y por las mujeres. La trampa surge obviamente en el último capítulo, donde se pone en claro que ella quiere sostener algún manifiesto positivo feminsta con propósitos culturales, y ya había «comprobado», con máscara racionalista, que las mujeres no necesitan producir cultura. Es así que en la tesis de Castellanos se revela la frustrante contradicción de dos posiciones —el deseo de participar culturalmente como sujeto femenino, y el hecho de que la filosofía, tal como la conocemos, no abre espacio para la subjetividad femenina, excepto negativamente. Esto se debe al hecho de que la filosofía (ontológica) ha producido significaciones a base de conceptos en oposición, como cultura-naturaleza, hombre-mujer, en los cuales la mujer (lo femenino) ocupa *a priori* la posición negativa. De esta práctica deconstructiva, Castellanos aprende a hacer pivote de los sistemas filosóficos onto(teo)lógicos.

Es muy posible que Castellanos hubiera podido evitar tales trampas retóricas si desde un principio se hubiera propuesto escribir un manifiesto feminista. Pero declararse feminsta en 1950 (y aún hoy) habría sido difícil ya que las feministas han sido ridiculizadas durante todo este siglo y aun Simone de Beauvoir en *El segundo sexo*, tanto como Virginia Woolf en *Three Guineas* lo niegan. No obstante, hay que recordar que Castellanos sospechaba que la cuestión de la mujer era (es) mucho más compleja de lo que se postulaba a medidados de este siglo. Castellanos, pues, propone una estraegia paradójica al negar el feminismo frente a la filosofía (los filósofos) por un lado, y por el otro, frente a sí misma y sus lectoras, afirmarlo sin ursar el término.

Una vez que Castellanos establece que la literatura ha sido una de las pocas aperturas culturales a las mujeres, considera que se debe a su base mimética, y añade:

> Si es imprescindible que las mujeres escriban, cabe esperar, al menos, que lo hagan buceando cada vez más hondo en su propio ser... Lo que cabe desear es que invierta la dirección de ese movimiento (ya que no invierte la direc-

ción del movimiento que la aparta de su feminidad confinándola a una mimetización del varón) volviéndolo hacia su propio ser, pero con tal ímpetu
que sobrepase la inmediata y deleznable periferia aparencial y se hunda tan
profundamente que alcance su verdadera, su hasta ahora inviolada raíz, haciendo a un lado las imágenes convencionales que de la feminidad le presenta el varón para formarse su imagen propia, su imagen basada en la personal, intransferible experiencia, imagen que puede coincidir con aquélla pero
que puede discrepar. Y que una vez tocado ese fondo (que la tradición des-
conoce o falsea, que los conceptos usuales no revelan) lo haga emerger a la
superficie consciente y lo liberte en la expresión.[56]

Castellanos creía que era posible escribir como mujer, sin apartarse
de la feminidad, pues si se aparta de ella caería en el término opuesto, lo
masculino, en la mimetización del varón. O sea que aunque Castellanos
cuestiona los valores tradicionales de la relación binaria, no sale del sistema sino que se sitúa al margen histórico ontológico como sujeto femenino contingente. Es así como valoriza a la «intransferible experiencia». Es
evidente que Castellanos era una teorizadora feminista de vanguardia,
coincidiendo en su posición con muchas escritoras contemporáneas, por
ejemplo, la poeta norteamericana Adrienne Rich que a partir de los setenta empezó a teorizar el feminisno. Compárese el fragmento citado de
Castellanos con el siguiente de Rich:

> El feminismo empieza pero no puede concluir con el descubrimiento por
> una mujer de su autoconciencia de ser mujer. En fin, no es ni siquiera el re-
> conocimiento de sus motivos de ira, ni la decisión de cambiar su vida... El
> feminismo significa, en suma, que renunciemos a nuestra obediencia a los
> padres y reconozcamos que el mundo que ellos han descrito no es el mun-
> do entero. Las ideologías masculinas son la creación de la subjetividad mas-
> culina; no son ni objetivas, ni libres de valor, ni incluso humanas. El femi-
> nismo implica que reconozcamos completamente lo inadecuado, para noso-
> tros, que es la distorsión de las ideologías creadas por hombres, y que pro-
> cedamos a pensar, y actuar a partir de ese reconocimiento».[57]

La trayectoria feminista de Castellanos es a menudo inhibida y

───────────

56 Castellanos, *Sobre cultura femenina*, p. 97.
57 Adrienne Rich, *On Lies, Secrets and Silence*. N. York: W.W. Norton, 1979, p. 207.

complicada no sólo por «la cantidad y calidad de resistencias interiores que se tienen que superar para manifestarse reconociendo un hecho objetivo»,[58] sino también por su otra preocupación central: la opresión socioeconómica de un grupo cultural por otro y la tentativa de entender sus operaciones. El modelo para esta última emerge de su experiencia en Chiapas y se expresa brillantemente en *Oficio de tinieblas* (1962). En *Sobre cultura femenina*, Castellanos descubre que las mujeres constituyen una fantasía retórica construida en principio por los filósofos; de aquí su deseo de poner a un lado «las imágenes convencionales que de la feminidad le presenta el varón para formarse su imagen propia».[59] Es una invocación a la autoconcientización, a la autoconstrucción y la autodefinición que puede diferir del pensamiento heredado.

Más de una comentarista se ha equivocado por el título de la tesis: *Sobre cultura femenina*. Magrit Frenk Alatorre, en su reseña de la tesis en 1950, toma a Castellanos al pie de la letra y dice que «la autora se ha entregado a un pesimismo fatalista y que, por su propia posición de mujer intelectual en medio de un mundo masculino, y a veces hostil, ha visto cerradas todas las puertas y ha considerado la vida como algo ya definitiva e inflexiblemente fijado por las corrientes fundamentales de la naturaleza humana».[60] Frenk Alatorre aparentemente deseaba una discusión más «razonable», más medida, más «seria», y se siente defraudada por el «método» elegido por Castellanos. Su logro está en hacernos cuestionar las dicotomías conceptuales, y en su declaración final. Castellanos se niega a situarse como «espíritu descorporizado», término de Adrienne Rich para referirse a las mujeres intelectuales que, para escaparse de la trampa del cuerpo, «han insistido que primero son seres humanos», y que consecuentemente han «minimizado su fisicalidad y sus lazos con otras mujeres».[61]

Como Sor Juana y Virginia Woolf, Rosario Castellanos controla y disfraza su furia intelectual por medio de la presuposición autoconsciente de su inferioridad a base de su sexo. Por ejemplo, nos dice que «Desde su (el del hombre) punto de vista yo (y conmigo todas las mujeres)

---

58 Castellanos, «La liberación de la mujer aquí», en *El uso de la palabra*, p. 58.
59 Castellanos, *Mujer que sabe latín...*, p. 202.
60 Magrit Frenk Alatorre, «Sobre cultura femenina», *México en la cultura*, núm. 97 (10 diciembre 1950), p. 7.
61 Adrienne Rich, *Of Woman Born*. New York: Bantam Books, 1977, pp. 21-22.

soy inferior (...) Desde mi punto de vista, conformado tradicionalmente a través del suyo, también lo soy».[62] La conciencia de una asignada inferioridad dada por su sexo proviene no sólo del ámbito intelectual hostil masculino al que se refiere Frenk Alatorre, sino también tiene su raíz en la dinámica de la situación familiar. En el caso de Castellanos, Elena Poniatowska reporta que desde la edad de siete años, después de la muerte del hermano, Castellanos tuvo que vivir con el rechazo de sus padres. Según Poniatowska, éstos le decían: «¿Por qué se murió tu hermano y no tú? Tú debiste haber muerto para que el hijo heredara el mayorazgo».[63] El énfasis de la importancia del hijo sobre la hija no puede ser más claro. Es muy probable que Castellanos viviera con este lamento hasta que murieron sus padres en 1948, y con sus ecos el resto de la vida.

Poniatowska añade que lo que más quería Castellanos «era injertarse en la gente con amor».[64] Este hecho lleva a la emergencia de un dilema crucial para Castellanos y su trabajo subsiguiente: ¿cómo reconciliar el rechazo que se produce a causa de su sexo con la necesidad de amar y ser amada? Antes de resolver —si es que se puede— este dilema, Castellanos, otra vez, como en la escritura de su tesis, asume una posición desafiante que es cómo una salvación psíquica. Declara en *Dos poemas* (1950):

> Yo callaré algún día; pero antes habré dicho
> que el hombre que camina por la calle es mi hermano,
> que estoy en donde está
> la mujer de atributos vegetales.

Simultáneamente, se niega a ceder su hermandad con todas las mujeres, las de «atributos vegetales» según los filósofos, y se niega también a ceder la noción de hermandad universal. Continúa en el mismo poema:

> Más allá de mi piel y más adentro
> de mis huesos, he amado.
> Más allá de mi boca y sus palabras,
> del nudo de mi sexo atormentado.
> Yo no voy a morir de enfermedad

---

62 Castellanos, *Sobre cultura femenina*, pp. 31-33.
63 Elena Poniatowska, «Rosario Castellanos», *La cultura en México*, Núm. 1106 (4 septiembre 1974), p. 8.
64 Poniatowska, p. 8.

ni de vejez, de angustia o de cansancio.
Voy a morir de amor, voy a entregarme
al más hondo regazo.
Yo no tendré vergüenza de estas manos vacías
ni de esta celda hermética que se llama Rosario.[65]

A la vez que se niega a ser derrotada por el rechazo y la soledad, opta por el amor como vía de salvación universal y personal. Sin embargo, en este momento de su carrera, o sea 1950, Castellanos todavía no se ha construido una definición del amor. Es un concepto y un sentimiento prometedor, pero, ¿cómo se ha de experimentar, cómo debe vivirse, darse y recibirse?

Simone de Beauvoir ha dicho que «el amor ha sido asignado a la mujer como su vocación suprema...»[66] y esa mujer, a menudo sin cuestionarse, se ha entregado a su «tarea» con la consecuencia de que «no tiene asideros para entender al mundo, no trasciende a su subjetividad, su libertad permanece frustrada... Sólo hay una manera de emplear su libertad auténticamente, y esto es proyectarla por medio de la acción positiva en la sociedad».[67]

No obstante las observaciones de de Beauvoir, el dilema crítico en Castellanos es que al dedicarse a la literatura y aún percibirla como un acto social, se distancia de «la acción positiva en la sociedad» misma. O sea, que su feminismo, por mucho tiempo, es, en efecto, textual, dedicándose a nombrar y protestar el desdoblamiento de la diferencia femenina en la onto(teo)logía que es su herencia cultural. Castellanos prefirió rescatar el sentido del cuerpo y del espíritu femenino, esto es, ¿cómo es percibida o se percibe a sí misma la mujer, cuál es la ideología bajo la que escribe? Es este deseo el que motiva a muchos de sus trabajos, inclusive *Sobre cultura femenina*, *Balún-Canán* y la colección de poemas *Poesía no eres tú*. A la pregunta ¿por qué escribir?, ella responde en un poema tardío:

Escribo porque yo, un día, adolescente
me incliné ante un espejo y no había nadie.[68]

---

65 Rosario Castellanos, «Dos Poemas», en *Poesía no eres tú*, p. 51.
66 De Beauvoir, *The Second Sex*, p. 743.
67 De Beauvoir, *The Second Sex*, p. 752-753.
68 Castellanos, «Entrevista de Prensa», en *Poesía no eres tú*, p. 303.

# CAPÍTULO IV

# EVA: POÉTICA DEL SILENCIO Y LA SOLEDAD

Entre 1948 y 1950, Rosario Castellanos publicó una serie de poemas que aparecen en *Poesía no eres tú* bajo los siguientes títulos: «Trayectoria del polvo» (1948), «Apuntes para una declaración de fe» (1948), «De la vigilia estéril» (1950) y «Dos poemas» (1950).[1] Esta serie fue escrita durante el mismo período que su tesis de maestría en filosofía, *Sobre cultura femenina* (1950). Para analizar y entender la obra poética de Castellanos es preciso recordar la simultaneidad de su proyecto y praxis como escritora. A Castellanos le urge situarse y descubrir el significado de lo femenino, de la mujer, y a través de estos poemas nos ofrece una teoría epistemológica y ontológica de lo femenino, donde las figuraciones se debaten en torno al yo contingente radical que dialoga con la (con)textualización heredada; y que debe ser entendido, sin embargo, como un proceso acumulativo que ilumina su trabajo poético posterior.

Los poemas «Trayectoria del polvo», «Apuntes para una declaración de fe», «De la vigilia estéril» y «Dos poemas» forman una constela-

---

1 Rosario Castellanos, *Poesía no eres tú: obra poética, 1948-1971.* México: Fondo de Cultura Económica, 1972. En la antología está alterado el orden de aparición de *Trayectoria del Polvo* y *Apuntes para una declaración de fe.* Aunque esta alteración se debió a un error editorial, Castellanos pensó que no tenía importancia, pues sentía que técnicamente no había diferencia entre un poemario y otro. Como mi análisis de estos poemas muestra, ciertamente, su orden importa, especialmente en lo que atañe al desarrollo de la voz y la visión poética de Castellanos. (Todos los números de páginas de los poemas citados remiten a la antología *Poesía no eres tú.*)

ción poética que provee la configuración fundamental de lo femenino en el contexto de Castellanos. Simultáneamente, la configuración simbólica de lo femenino se relaciona con la hablante poética histórica como ente social. Así se forma un eje de relaciones entre el proyecto-praxis de la poesía, lo femenino en el ámbito simbólico ya codificado, y la mujer como ente contingente sociohistórico. La praxis poética se mediatiza por lo que Harold Bloom llama «encuentros lectivos». O sea, la práctica poética de Castellanos se desenvuelve mediante la reinscripción de la textualidad heredada, sobre lo cual se abre un espacio para insertarse. Este proceso de lecturas es característico del trabajo poético de Castellanos y se elabora a partir de «alertas lecturas» de textos heredados para «limpiar el espacio imaginativo para el propósito propio».[2] En el caso de Castellanos el propósito personal, especialmente en la poesía, fue una búsqueda de autodefinición a diferencia de los modelos simbólicos previos de la observación de Bloom: «La libertad de significar se arrebata por medio del combate, de significación contra significación...» Y «este combate consiste de un encuentro lectivo, y de un momento interpretativo dentro de ese encuentro. La guerra poética se hace por medio de una especie de lectura fuerte».[3] El momento interpretativo se propone iluminar el sentido de sí y de lo femenino, y de «arrebatar» significados según su percepción de «ser mujer» y «poeta» en la segunda mitad del siglo XX. El momento analítico e interpretativo mío interviene en la localización del momento interpretativo en la poética de Castellanos. Ello equivale a una deconstrucción analítica de la práctica deconstructora en la poética de Castellanos, que es mediatizada por los «ecos, alusiones, invitados, fantasmas de textos previos».[4]

«Trayectoria del polvo» y «Apuntes para una declaración de fe» son experimentos poéticos visionarios en los que la hablante se propone forjar un sentido de sí mediante el enfrentamiento con el tiempo y la muerte. El enfrentamiento, que requiere definición y resolución para el futuro, incluye un entendimiento del tiempo contingente y finito, una pers-

---

2 Harold Bloom, «The Braking of Form», en *Deconstruction and Criticism*, no eds. New York: Continuum, 1979, p. 5-6.

3 Bloom, p. 5.

4 J. Hillis Miller, «The Critic as Host», en *Deconstruction and Criticism*, no eds. New York: Continuum, 1979, p. 225.

pectiva de sí «como una cosa entre cosas, cercada por sus límites, colocada en el tiempo, destinada al acabamiento y a la muerte».[5] La aprehensión de límites y de la finitud vital impone un sentido de urgencia al «yo» poético de Castellanos para elegir entre valores culturales. De estos el de «valor supremo» es el proyecto literario y su relación con la aventura poética. Ambos poemas suponen un mundo degradado en el cual la Caída en el Génesis se refiere principalmente a una caída en el tiempo, cuyo resultado final es la muerte. Basándose en este reconocimiento se elige a la poesía como el único valor, marginando al Amor y la Reproducción (genética) cuyo valor se evapora ante la muerte.

La confrontación y contemplación del tiempo y la muerte en la obra de Castellanos tienen la función transformadora de convertirlos en categorías principales para entender y definir su manera de ser en el mundo. La hablante se sitúa en el tiempo existencial para distanciarse del destino y origen fundamentado en el más allá del Amor y la Reproducción. Es recapitulación esquemática del génesis bíblico, que contiene ecos de otras cosmologías de orígenes. La narrativa creacionista bíblica se vuelve, en parte, la estructura autoritaria sobre la cual la voz autonarrativa se inserta. La técnica comprende la inserción de una autoexpresión subjetiva lírica, cuyo propósito es crítico, en el hilo narrativo de una estructura genética. Representa el diálogo del ser en formación con respecto a las inscripciones anteriores al ser emergente, descubriendo así el trasfondo estructural de la crisis femenina contemporánea.

La estructura narrativa bíblica también sirve para asistir al sujeto en su concientización del tiempo y la muerte, que exige decisiones y resoluciones para la sobrevivencia y una agenda de vida. En otras palabras, cada poema contiene dos «historias». La historia del planeta terrestre que ha precedido tanto como sobrepasado al sujeto hablante, y la historia del ser que debe descubrir su relación con el esquema narrativo heredado de la inocencia eterna y armónica del pecado y la culpa, y del tiempo y la muerte. (El proceso esquematizado es más evidente en «Trayectoria» que en «Apuntes», ya que el proyecto-praxis en Castellanos a me-

---

5 Castellanos, *Sobre cultura femenina*. México: Revista Antológica, Ediciones de América, 1950, p. 72.

nudo recoge y asume las penetraciones anteriores. «De la vigilia estéril» asumirá a ambos.)

Al proceder desde *in illo tempore* y el *locus amoenus,* como sitios fundidos arquetípicos del tiempo y el espacio que anteceden a la Caída, principalmente vista como la entrada en el tiempo y la inevitable confrontación con la muerte, se hacen varias preguntas: ¿quién era yo durante ese tiempo-espacio?, ¿quién soy yo ahora, y qué hay de valor que yo pueda rescatar o a la inversa, me pueda rescatar a mí de la repetición de la circularidad genética, del proceso nacimiento-muerte que relaciona al ser humano con la naturaleza?

Según la hablante en «Trayectoria», la voz más próxima a nosotros en el tiempo y el espacio, insertada en el momento presente de autoreconocimiento, la poesía y la aventura poética serán el acto y el artificio que rescatarán al sujeto del olvido. La poesía es la pasión última y el supremo valor, la única praxis capaz de reconfigurar a la vida. Castellanos se urge a sí misma, y al lector, a contemplar la poesía y a permitirle su fruto.

> Trabaja con la llama.
> ¡Cuántas formas modela, cuántas formas
> duermen almacenadas en su seno!
> (...)
> Es la hora perfecta
> en que la rama en el altar florece.
> Permitid que florezca.
> Es la última pasión, la última hoguera
> crepitando en la nieve. (pp. 26-27)

En el mundo en que las cosas apenas son y se mueven al no ser, el proyecto literario de Castellanos empieza con una autoafirmación alterna y revisionaria mediatizada por la poesía. La poesía, en este instante, se percibe como un instrumento que trabaja con el fuego, y es también el último y único fuego. Es una necesidad frente a la muerte. Es la trayectoria del tiempo y el espacio que han transcurrido desde el Paraíso hasta la Caída, o sea, hasta el presente. La poesía, que se imagina como el momento fundamental e instrumental en una progresión que ofrece posibilidades de transmutación, transformación y regeneración, desplazará al olvido del sujeto por medio del artificio. La permanencia se logra así. La poesía efectúa una síntesis artificial de lo cultural y lo natural que le permite transformarse en *Femina Significans* y *Femina Faber*. La permanencia que se puede actualizar por medio del artificio cultural se percibe como algo de más valor que la práctica del Amor y la Reproducción, que han sido relegados al ámbito natural por la filosofía. Así, conscientemente, Castellanos se apropia de la poesía. El momento de apropiación consciente se utiliza críticamente para deconstruir lo filosófico-poético como actividad masculina, y reconstruirlo como actividad femenina.

En cierto sentido, aunque la poesía se ha elegido y proclamado, todavía no se actualiza. Lo que en efecto se ha poetizado es la exploración de su situación al contraponerse a varias épocas, entendidas como narraciones de orígenes. Es como si este poema en especial, el primero publicado, fuera necesario para objetivarse como hablante y para enunciar la protesta frente a la mortalidad que se elude poéticamente. Se autosobrevivirá mediante el artificio, ya que el sentido de ser (como ente femenino) idéntica a la naturaleza se ha perdido. La génesis del mundo que «Trayectoria» comunica se correlaciona con el momento reconocedor de ser un ente social. Esto, a su vez, lleva al reconocimiento de la función estructural del tiempo y la muerte como verdadero destino humano.

En «Trayectoria», la niñez equivale a la parte de la creación que no sólo es *in illo tempore* y *locus amoenus*, sino también asexuada. Un tiempo y un espacio que preceden a la separación «en varón y mujer las costillas unánimes». La niñez es «el alba sin sexo. / La edad de la inocencia y del misterio». Una existencia asexuada precede al momento del despertar sexual cuando la identidad femenina es la única posibilidad, y la mujer es el único término lingüístico que queda: «La que anudaba origen y destino: «Mujer, voz radical que hipnotizaba en la garganta de Eva» (p. 20). (Lectores del texto freudiano sicoanalítico pueden engendrar interpretaciones alineadas al momento pre y post-edipal, pero así se desplazaría el texto que funda la poética de Castellanos.)

Por medio de la memoria, que en sí misma es un acto narrativo que supone explicaciones que se perciben como verdades, la conciencia de la identidad sexual femenina se experimenta como una doble ironía cósmica en un solo cuerpo. No sólo inadvertidamente nació «en la hora misma en que nació el pecado», sino que también ignoraba «su inevitable cárcel de ceniza» (pp. 17, 18). La falta de autoconocimiento y de autoconciencia en relación al mundo temporal es fuente del sentido de ser idéntica a la naturaleza en la niñez. La misma génesis del mundo, que como cosmología existe antes de su entrada al mundo, como discurso narrativo coexiste con la madurez evolucionante de su cuerpo para revelar que ella es descendiente de Eva, símbolo del pecado, culpa, destino y muerte ecuánime de la mujer, su presupuesta identidad sexual. (Un poema posterior, «Eclipse total», elaborará este nudo de significaciones desde una perspectiva diferente.)

Antes de incorporarse una conciencia de la presupuesta identidad sexual, la niñez se vive en total armonía con la naturaleza, una ausencia de metáforas, una ausencia de lenguaje, una ausencia de poesía. La palabra no es un medio enajenante de la existencia sino que se funde con ella:

> Y cuando yo decía la tierra, era la tierra
> desnuda de metáforas, infancia
> recién inaugurada. (p. 18)

En el principio, ella es poesía. Ambas son naturaleza y no artificio. La poesía como artificio llega más tarde; la experiencia del lenguaje como elemento separado se actualiza al concienciarse de la propia corporalidad. Ese momento reconocedor impulsa a la búsqueda del autoconocimiento biopsíquico. La adolescencia es:

> ... una vocación de búsqueda incesante
> hacia la luz más íntima
> que se le esquiva siempre como en un laberinto.
> (...)
> El gozo sin motivo de carne que se palpa
> olorosa y reciente. (p. 19)

El hambre de sí misma de la adolescencia se sitúa de manera tan narcisista que sólo se puede liberar de esa sujeción autocontemplativa por medio de imágenes:

Y luego reiniciaba mi marcha de Narciso
ya entonces como alada
liberación de imagen entre imágenes. (p. 20)

La búsqueda del autoconocimiento se actualiza entre una multiplicidad de imágenes y más allá de la contemplación del cuerpo. La búsqueda que se caracteriza como «rondas de palabras» —instrumentos para liberarse del espejo—, se desarticula porque las posibles imágenes autocre-
ativas esán más allá del espejo narcisista. Estas se disuelven misteriosa-
mente hasta que sólo queda una palabra: Mujer, que equivale a Eva,
quien «anudaba origen y destino» (p. 20). Es como si la identidad fuera
coextensiva con Eva, cuya significación es la única necesaria para el auto-
conocimieto dentro del patriarcado genético.

En la medida en que «Trayectoria» es un asesoramiento del ente femenino genético, la paradoja descubierta es que la misma identidad sexual que reduce el vuelo de la imaginación a sólo un símbolo que narra
una historia, es la misma identidad que revela la Caída en el tiempo y la
muerte. O sea, que Eva es la diferencia que engendra ambas narrativas
—la genética y la existencial. Este momento clave deconstructivo permite la aventura poética antigenética. La poesía, que ya o sólo equivale a la
hablante, se descubre como artificio cultural, que funcionará como instrumento para la autovisualización futura por medio de las «rondas de
palabras». La poesía, «aniquiladora y creadora de un Cosmos», se vuelve
paradójicamente vehículo para examinar el pasado y se sitúa en el presente y se proyecta hacia el futuro: «permitid que florezca. / Es la última
pasión, la última hoguera...» (.p. 27). El poema es el fuego que destruye y
construye. En la obra de Castellanos el fuego sugiere interpretaciones
heracliteanas. Para Heráclito, el tiempo y el lenguaje son procesos dialé-
cticamente relacionados mediante la metáfora del fuego: «El fuego se
concibe y se ve como elemento en lucha eterna con todo. Algo cuya
esencia es el consumo, falta de esencia. El fuego siempre es devenir; nunca es. Y como tal sirve como paradigma de todo el cosmos, que es un
fuego que perdura sempiternamente».[6]

_____

6 Rubén Berezdivin, «Fire and Logos: The Speech of Fire and Its Contradictions», en
John Sallis and Kenneth Maly, eds., _Heraclitean Fragments: A Companoion Volume to the
Heidegger/Fink Seminar of Heraclitus._ Alabama: Univesity of Alabama Press, 1980, p. 82.

«Trayectoria» es, en fin, una apropiación bíblica revisionista que desplaza el génesis femenino. Alicia Ostriker ha definido esta estrategia poética así:

> Cuando una poeta utiliza una figura o narrativa previamente aceptada y definida por una cultura, está utilizando el mito, y el potencial existe siempre que el uso sea revisionista; la figura o cuento será apropiada con fines modificadores, el receptáculo antiguo se llena con vino nuevo, inicialmente satisfaciendo la sed individual de la poeta, pero finalmente haciendo posible los cambios culturales.[7]

En «Trayectoria» se conjugan la narrativa genética —como hecho internalizado psíquicamente— y la narrativa histórica —como base experimentada donde se desenvuelven el tiempo y el cuerpo.

El rol máximo que Castellanos otorga al lenguaje, en el proceso de autonocimiento biopsíquico, en 1948 representa una teoría implícita semejante a algunas teorías psicolingüísticas contemporáneas. Castellanos percibe su poema «Trayectoria» como un «resumen de mis conocimientos sobre la vida, sobre mí misma y los demás».[8] Como resumen, «Trayectoria» también tematiza la inserción del sujeto hablante en el lenguaje que en parte refleja algunas nociones mantenidas por analistas del lenguaje y de la psicología infantil. Según Julia Kristeva, el lenguaje, como campo simbólico en el cual los seres son inscritos, desempeña un papel fundamental en la construcción del individuo. El lenguaje es así visto «como una separación de un presupuesto estado natural, del placer fundido con la naturaleza que la introducción de una red articulada de diferencias, que se refiere a objetos, de allí en adelante y sólo de esta manera separado de un sujeto, puede constituir significado».[9] La aprehensión y asimilación del lenguaje es una introducción a las diferencias que nos expulsan del presupuesto inocente de que el sujeto es idéntico a la naturaleza, o idéntico a los objetos nombrados o percibidos. En el poema de

---

7 Alicia Ostriker, «The Thieves of Language: Women Poets and Revisionary Mythmaking», *Signs: Journal of Women in Culture and Society*, 8, 1 (1982), p. 72.

8 Emmanuel Carballo, «La historia de sus libros contada por ella misma», *La cultura en México*, 44 (19 diciembre 1962), p. 2.

9 Julia Kristeva, «Women's Time», trad. de Alice Jardine and Harry Blake, *Signs: Journal of Women in Culture and Society*, 7, 1 (1981), p. 23.

Castellanos, el presupuesto de equivalencia se basa en la aceptación de que el lenguaje es un campo simbólico; así, nombrar la tierra es equivalente a nombrarse a sí misma, y su propia substancia. Además, la poesía no era inicialmente un objeto separado, sino idéntico al ser. Los pájaros, como símbolos de la poesía, y la lírica no están objetivados: «Yo no podía aún amar los pájaros / porque cantaban presos y ciegos en mis venas» (p. 18). El sentido del ser idéntico a la naturaleza hace superfluo el lenguaje como objetividad, o a la inversa, la introducción del lenguaje como red articulada de diferencias separa al ser de la naturaleza. (En vez de utilizar la teoría de Kristeva fundada en el *corpus* freudiano para analizar el trabajo poético de Castellanos la situó en proximidad al texto de Castellanos y la distanció no sólo para iluminar la configuración simbólica en que se inserta Castellanos, sino también para desarrollar la teorización del sujeto hablante en su contexto cultural del cual deriva sus figuraciones. Además, no es lo «femenino» lo que específicamente interesa a Kristeva —a diferencia de Castellanos—, sino un ente genérico.)

En «Trayectoria», la separación empieza cuando el cuerpo exige atención durante el período de la adolescencia en que la hablante experimenta «La alegría de músculos elásticos, / la embriaguez de la sangre / galopando en canciones sobre el tiempo» (p. 19). El desarrollo del cuerpo en el tiempo exige nombramiento, exige una multiplicidad de imágenes que podrían liberarlo de una autoabsorción total, y dirigirlo hacia el descubrimiento de otros objetos. La novedad del cuerpo se siente como tentativa de descubrir significado en relación a los objetos más allá del ser «que se hallaba a sí mismo en cada cosa»). Para Castellanos, sin embargo, el ser femenino como tal sufre una segunda separación del lenguaje como inmenso campo simbólico, como «rondas de palabras», al ser reducido a un solo término lingüístico, Mujer. La reducción se experimenta inicialmente como reversión extática a la identidad infantil con la naturaleza, como esencia que:

... se vertía exaltada en la órbita
concéntrica y total de la palabra
y era la musical delicia de la gota
incorporando al mar de canto sin fronteras
su mínimo sonido de caracol vibrando. (p. 20)

La autoconcienca corporal que movía a la adolescente hacia la búsqueda de identidad se experimenta primero como placer de hallar la palabra que le da significado —Mujer—. Pero cuando ésta se reemplaza con la conciencia de la muerte, la mujer madura reanuda el acoso del lenguaje y del significado una vez más. La muerte transforma la búsqueda en un proyecto. En términos hegelianos, el «tiempo es lo que el hombre (sic) hace de la muerte».[10] De alguna manera, la reducción del ser femenina a dos ideas, Mujer y Muerte, tendrá que ser rearticulada. El campo simbólico del lenguaje, por medio de la poesía, tendrá que ser redescubierto para efectuar nuevos significados.

Dado lo aprendido y experimentado es necesario reformular la aventura poética, lo que ella hará de la muerte. En este momento cristalizante en el umbral del tiempo, el epígrafe de Paul Valery asume su significado pleno con respecto al poema de Castellanos: «Entre le vide el l'evenement pur», o sea, «Entre el advenimiento y el vacío», del libro de Valery Le cimitière marin, asume un doble significado. El verso se refiere tanto al momento de escuchar y esperar la llegada de nuevos poemas como al de escuchar y esperar la llegada del nuevo ser cuya actualización se cierne sobre la actualización de los poemas mismos. Al comparar los movimientos conceptuales y metafóricos de Le cimitière marin y «Trayectoria», de este poema aportan una dimensión adicional. Valery explora, de manera compleja, el No Ser (la muerte) y el Ser (la creatividad), en el cual «J'attends» es el momento opuesto al No Ser que llevará hacia la elección de Ser, por medio de la liberación del poema. En «Trayectoria» estas dos posibilidades son precedidas por otros aspecto de Ser que es el primer eslabón de la cadena hacia el No Ser, y otra vez Ser. El sentido inicial de Ser es uno equivalente a la naturaleza, el tiempo monumental de la infancia y la revelación de la identidad sexual que apunta hacia la muerte (No Ser), «la amenaza del gusano» (p. 26), una variación glosada del verso de Valery «Le vrai ronguer, le ver irrefutable».[11] En «Trayectoria» la imagen del gusano se une a la apelación de no reproducir y al descarte del amor romántico como emoción que conlleva a la autoperma-

---

10 Norman O. Brown, *Life Against Death: The Psychoanalytical Meaning of History*. New York: Vintage Books, 1961, p. 102.

11 Paul Valéry, *El cementerio marino*, ed. bilingüe, Jorge Guillén, trad. Madrid: Alianza Editorial, 1970, p. 58.

nencia. En términos hegelianos, «El amor es un pequeño momento en la vida de los amantes; y el amor permanece como una experiencia subjetiva interior que deja sin tocar el macrocosmos de la historia».[12] Lo importante aquí, a mi parecer, no es tanto que la afirmación hegeliana clarifique la posición de Castellanos como el hecho de que Castellanos, al usar bases filosóficas existenciales para desplazar la narrativa genética, se ve obligada simultáneamente a negar opciones femeninas y a tematizarlas. No obstante, logra historizarlas y arrebatarlas al tiempo narrativo genético. Así reinscribe y critica. La negativa a la reproducción, que en este momento es sólo una convocatoria a lectores, será profundamente explorada como elección de «En vigilia estéril», libro que se dedica al entendimiento y reinterpretación del verso de Valery «Qui de la mort fais un sein maternel».[13]

«Muerte sin fin» de José Gorostiza se incorpora a «Trayectoria» como actitud nihilista mediante imágenes claves. «Muerte sin fin» precipitó en Castellanos «una conmoción de la que no me repuse nunca».[14] En la medida en que nunca se repuso del impacto, se apropia de ciertas imágenes. «Trayectoria» fue escrito bajo el ímpetu inmediato de la lectura de Gorostiza y su noción de la muerte insidiosa cuya máscara es la vida. La apropiación, sin embargo, es atemperada en Castellanos al elegir también la actitud positiva de Valery, «Il faut tenter de vivre! / ... Envolezvous, pages tout eblouies!»[15]

La fuerza del poema de «Muerte sin fin» yace en la manera exhaustiva en que se representa el frenesí del No Ser en la naturaleza y en el arte. Lo único que parecería atenuar el vuelo de la actividad hacia la nada es el espíritu irónico-comicidad y cinismo, pero no detiene «ese atormentado remolino / en que los seres todos se repliegan / hacia el sopor primero, / a construir el escenario de la nada».[16] La nada es simultáneamente el «sopor primero» y el último, que se hace soportable mediante la actitud irónica. Junto con la narrativa genética estos dos himnos para-

---

12 Norman O. Brown, p. 102.
13 Valéry, p. 58.
14 Carballo, p. 2.
15 Valéry, p. 64.
16 José Gorostiza, «Muerte sin fin», en *Laurel: Antología de la poesía moderna en lengua española*, Xavier Villaurrutia, ed. México, 1941, p. 832.

lelos, el de Valery al Ser Creativo, y el de Gorostiza al No Ser, acompañarán en parte el trabajo de Castellanos de modo que ella se relee y reinscribe poéticamente.

«Apuntes para una declaración de fe» se construye sobre «Trayectoria» y la hablante lírica se sitúa en un planeta gratuitamente dado. La aparente gratuidad de la vida y la naturaleza hacen del ser esencial algo innecesario; así, en el poema se busca el espacio básico para echar raíz. Si «Trayectoria» se enfoca en el tiempo como elemento catalizador, «Apuntes» reclama el espacio para el proyecto literario.

En «Apuntes» el momento de fusión armónica con la naturaleza, visto como acto de amor, es breve aunque enfático. La memoria se desvanece rápidamente en el tiempo imperioso. Una afirmación subsiguiente se imagina a los fines humanos como un «hormiguear un rato bajo el sol» (p.10), alusión a «Muerte sin fin» para enfatizar la falta de necesidad última para existir.

La rápida recapitulación del Génesis antes de la Caída no sirve como armadura narrativa para el autodescubrimiento íntimo: sirve como trampolín para las observaciones sobre la monotonía de la existencia y como denuncia del *ethos* cultural contemporáneo para puntualizar sobre el espacio manifiesto del futuro: Ser/Nuevo Mundo. Se observa que existimos «abandonados», y se pregunta «¿De qué? ¿De quién? ¿De dónde? / No importa» (p. 10). Estamos simplemente abandonados y bajo este principio se emprende la búsqueda de autodefinición. Cada noche es una enfrentación con la muerte. La reproducción biológica genética significa (génesis) el sufrimiento, vergüenza, castigo, cruz, burla del amor, una máscara ilusoria para evitar la verdad de nuestra mortalidad. Retomando la cita hegeliana anterior, el énfasis sobre la reproducción y el amor deja al macrocosmos de la historia sin tocar, esto es, hace imposible el cambio cultural. La lucidez es representativa de la época moderna y no el pensamiento romántico; además, Europa ha quedado exhausta de significado (pp. 10-13). El bombardeo de apuntes sarcásticos encubre muchas preguntas significativas que preocupaban a Castellanos. Estas preguntas, en el poema, son retóricas y se evaden por el sarcarmo fácil. A la luz de su trabajo maduro las preguntas se pueden formular así: ¿Puedo comprometerme con el *ethos* romántico? ¿Debo de ser madre? Como mujer, ¿de qué manera encubre la mortalidad las nociones del Amor y la Reproducción? ¿Son el amor romántico y la reproducción compatibles con la profesión de la poeta, con *femina faber* y la búsqueda de otros significados femeninos? A esta última pregunta Castellanos responde que no por diez años, pero tendremos amplia oportunidad de ver los resultados poéticos cuando decide responder que sí. La hablante poética todavía no se ha comprometido con la experiencia empírica como fuente de significados.

Según «Apuntes», las nuevas canciones y los nuevos autodescubrimientos se fundarán en el Nuevo Mundo, pues éste es el sitio donde parece que el tiempo apenas comienza. Aquí la poesía no será tanto consolación frente al terror y a la necesidad de morir, como el instrumento que forjará el orden del caos. El Nuevo Mundo es «un remolino de animales y de nubes, / de gigantescas hojas y relámpagos, / de bilingües entrañas desangradas» (p. 14). La conjugación de un espacio en desorden y un nuevo tiempo darán a la poeta un sentido mejor de la fuerza en la proyectada recreación y reordenación del Mundo/Ser. Ella, la poeta autoconstruidora, se ciñe a un mundo y a un espacio que también esperan su construcción. Como estudiante de la filosofía, Castellanos a menudo precisa las categorías o metáforas centrales que le sirven para el esfuerzo cognoscitivo. Castellanos fue estudiante de filosofía porque su vocación era entender, y de vez en cuando hace referencia a filósofos. Por ejemplo, Parménides y Heráclito le son atractivos modelos porque «dieron a sus concepciones del mundo, el cuerpo de la imagen», sus ideas se «disfrazaban de metáforas».[17]

En «Apuntes», el agotamiento de significación europea se representa por medio de una amalgama del antihéroe de T.S. Eliot, J. Alfred Prufrock, la presencia fantasmal del hablante de Neruda en *Residencia*, y la visión de la muerte de Gorostiza en «Muerte sin fin».[18]

---

17 Castellanos, «Si "Poesía no eres tú", ¿entonces qué?», en su colección de ensayos *Mujer que sabe latín...* México: Sepsetentas, 1973, p. 205.

18 Mary Seale Vásquez, «Rosario Castellanos: Image and Idea», en *Homenaje a Rosario Castellanos,* Maureen Ahern y Mary Seale Vásquez, eds. Valencia: Ediciones Albatros Hispanofilia, 1980, pp. 15-40. El libro es un recuento de la vida y la obra literaria de Castellanos, sin entrar a analizar los valores estéticos de sus escritos. Hay en el volumen un ensayo titulado «Rosario Castellanos: On Language», de Regina Harrison MacDonald, que analiza la preocupación de Castellanos por el lenguaje, como se aprecia en sus trabajos críticos y en su narrativa. No estudia, sin embargo, su poesía, ni la relación de la poética en sí con el lenguaje.

De «The Love Song of J. Alfred Prufrock» de T.S. Eliot, Castellanos recoge la desesperanza cínica y sofisticada del antihéroe que le evita hacer preguntas significativas. Aunque J. Alfred Prufrock no esté exento del deseo de significar, «Apuntes» implica que la pregunta se evade, «sin preguntarse nunca para qué todo esto...» (p. 13), abriéndose así su propio espacio poético. En el Nuevo Mundo, donde el tiempo sólo parece empezar, es posible darle vuelta al universo «towards some overwhelming question» y decir con Prufrock: «I am a Lazarus, come from the dead, / Come back to tell you all, I shall tell you all».[19] Pero, ¿qué es la pregunta, qué es lo que se nos ha de decir?«Apuntes» responde a la pregunta «para qué todo esto», que es la pregunta de ambos, Castellanos y Eliot, la de ella enunciada, la de él suprimida. El Nuevo Mundo suplirá las respuestas.

En «Apuntes» una presencia nerudiana se palpa con referencia al fin de la sensibilidad romántica. Lo que Neruda representa como una profunda pena, en «Caballero solo», por ejemplo, «Apuntes» lo asume como un hecho completo que requiere una nueva declaración de fe. En «De la vigilia estéril» hay un extendido diálogo con las variaciones de la sensibilidad romántica. En «Apuntes», sin embargo, se da por presupuesta su terminación con la ascendencia de la «inteligencia», alusión a los versos de Gorostiza: «O inteligencia soledad en llamas, / que todo lo concibes sin crearlo». Para Castellanos, la inteligencia, o como se implica en los versos de Gorostiza, la autoconciencia, que revela su propia ironía al concebir sin crear, será el arma estratégica para distanciarse de la inscripción femenina romántica y de la onto(teo)logía católica.[20] Aunque Gorostiza cuestione el poder de la conciencia y de la inteligencia, a Castellanos le sirve como instrumento sartreano que emerge para revelar el ser y «la relación del ser con los fenómenos del mundo».[21] Lo que está

---

19 T.S. Eliot, *The Wasteland and Other Poems*. New York: Harcourt, Brace and World, Inc., 1962, p. 7.

20 Octavio Paz, «Muerte sin fin», en *José Gorostiza*, no eds. México: Fondo de Cultura Económica, 1974. pp. 28-31. El ensayo fue escrito originalmente en 1950. Paz llama la atención sobre la conciencia, ironía y serenidad del texto poético. Paz se muestra ansioso por poner fin a la «cerrada forma clásica» de Gorostiza e ignora lo contextual del poema, por ejemplo, «la calle».

21 Edith Kern, ed., *Sartre: A Collection of Critical Essays*. Elglewood Cliff, New Jersey: Prentice-Hall, Inc., 1962, p. 9.

de por medio aquí es rescatar a la mujer como signo, metáfora, imagen o símbolo de los ámbitos naturales y culturales por medio de los cuales el poeta masculinizante, de sensibilidad romántica o metafísica, trata de articular su propio sentido como hombre y poeta, reduciendo o anulando el sentido de la existencia de ella. La inteligencia y la conciencia servirán de puentes para redefinirse, para nombrar su experiencia de la diferencia.

En «Apuntes» se inscriben alusiones al texto romántico para burlarlo —así, sostiene el poder de la inteligencia sobre «claros de luna», «los tés de las cinco», «la vida... tras el cristal opaco», «novelas pornográficas», «películas sólo para adultos» (las dos últimas como degradación de lo romántico, a lo cual también se alude en «Caballero solo»). El propósito de «Apuntes» es dictar la extinción de tales precursores, así como «Trayectoria» propuso la extinción de *in illo tempore* y *locus amoenus*, para desplazarlos con el Nuevo Mundo y el nuevo ser. Como ella, el Nuevo Mundo espera que se le nombre, no está categorizado ni clasificado: «Hay enmarañamientos de raíces / y contorsión de troncos y confusión de ramas» (p. 13). Este trozo de la naturaleza planetaria exige orden y su identidad está ceñida a ese proyecto, no como equivalente, sino como similitud y diferencia. Es una propuesta para trabajar sobre el nuevo espacio y tiempo donde la similitud y la diferencia podrán ser percibidas lúcidamente.

La cuestión sobre la mujer como equivalente de la naturaleza fue de importancia fundamental para Castellanos. Así como había ensayado respuestas a esa perspectiva patriarcal filosófica, también tratará de ensayar respuestas en su poesía. La conceptualización de la mujer entre los filósofos que ella estudió en *Sobre cultura femenina* correspondía a la identificación de la mujer con la naturaleza y se enfocaba específicamente sobre la reproducción biológica como prueba. Es una identificación o equivalencia sobre la cual el filósofo metafísico desarrolla toda una cadena de términos en oposición binaria, como cultura y naturaleza, espíritu y cuerpo (materia), intelecto y afectividad, acción y pasividad, orden y caos, principio masculino y femenino, etc. Este eslabonamiento lógico lleva a Castellanos a afirmar que el espíritu sirve al cuerpo, o sea, invierte el valor.[22] Es una noción elaborada sobre *Materia y memoria*, de Bergson,

---

22 Castellanos, *Sobre cultura femenina*, p. 76.

que le sirve a Castellanos para deconstruir la metafísica dualista.[23] Esto
es, le permite incorporar el sentido de sí misma.

Es interesante hacer notar que la propuesta de que el «espíritu sirve
al cuerpo» y viceversa es sugerida por Unamuno en *Del sentimiento trágico de la vida*. En esa obra, Unamuno ataca la supuesta objetividad de los
filósofos ingleses insistiendo en que son hombres de carne y hueso: «(la
filosofía es) fraguada por un hombre para hombres».[24] Por medio de esta
propuesta, Unamuno tiende a reducir las ideas de los filósofos a una búsqueda de Dios. Su argumentación devora el pensamiento de otros al si-
tuarlo así, y afirma como Hegel que el hombre es Dios porque está hambriento de Dios, «porque es el principio de solidaridad entre los hombres todos y en cada hombre, y de los hombres con el Universo y que es
como tu persona».[25] Pero, en Unamuno, como en muchos pensadores
masculinos, queda la presunción de que la mujer es diferente al hombre
y esa diferencia la excluye de lo dicho. El concepto hombre no se refiere
a toda la humanidad. Unamuno indica esto al decir, «y en la mujer todo
amor es maternal».[26]

Castellanos leyó esa obra unamuniana antes de escribir su ensayo
*Sobre cultura femenina*, y aunque no la cita tiene función subtextual. Es
significativo que Castellanos no citara a ningún pensador hispano en ese
trabajo. Claramente su combate intelectual se mediatiza con «extranje-
ros». Con la publicación de «De la vigilia estéril», sin embargo, es evidente que las perturbaciones causadas por la tradición hispánica tienen
que enfrentarse; éstas fueron burladas por los comentaristas de ese trabajo.[27]

«De la vigilia estéril» es, como los poemas previos, una reinscripción de temas y motivos con el propósito de construir los propios. La
obra representa el drama de la hablante solitaria que interroga al pasado,

---

23 Henri Bergson, *Mattery and Memroy*, trad. Nacy Margaret Paul y Scott Palmer.
London: George Allen and Unwin, Ltd., 1950.
24 Miguel de Unamuno, *Del sentimiento trágico de la vida*. Madrid: Espasa Calpe,
S.A., 1971, p. 35.
25 Unamuno, p. 137.
26 Unamuno, p. 107.
27 Castellano alude al ridículo en su ensayo «Si "Poesía no eres tú", ¿entonces qué?»
*Mujer que sabe latín...*, p. 206.

presente y futuro para clarificar el nudo de relaciones entre el ser y la inscripción del ser en las narrativas onto(teo)lógicas y el deseo de reconstruirse. En «De la vigilia estéril» se desenvuelven una serie de poemas en torno de la decisión, públicamente enunciada, de rechazar «los aspectos más obvios de la feminidad».[28] El drama auténtico que motiva los poemas es la negación de la maternidad. La negación de actualizar la identidad maternal se sitúa ante el trasfondo de la herencia textual bíblica y literaria. La negación se representa como una lucha por la separación, una tentativa de elaborar una posición más allá de la simple identificación mujer=madre.

La serie de poemas en «De la vigilia estéril» contiene dos movimientos temáticos importantes. Estos se desarrollan paralelamente y clarifican las implicaciones de la esterilidad biológica voluntaria. Los movimientos incluyen la relación de la historia con el amado/dios y la relación con la reproducción biológica y las alternativas posibles. Para identificar y nombrar aspectos de la sexualidad, «De la vigilia estéril» reinscribe textos heredados y autoritarios como el *Génesis, Cantar de los Cantares, Libro de Job, Antiguo y Nuevo Testamento* y «Canciones del amigo» haciendo resonancia con la sensibilidad romántica y mística. Esta se representa con ecos y alusiones a voces poéticas del siglo XX, como Valery, Gorostiza, Gabriela Mistral y Alfonsina Storni. Castellanos se apropia de las referencias intertextuales para formular su propia conciencia femenina (feminista) que en el desarrollo hecha mano de la diferencia con respecto a los textos anteriores y su incripción en lo femenino.

Los primeros dos poemas de «De la vigilia estéril» —«En el filo del gozo» y «La Anunciación»— representan las configuraciones simbólicas a las que la hablante podría sumarse. La primera corresponde al amor, como fusión mística o romántica con el otro; la segunda corresponde al destino maternal anunciado. Contra estas dos posibilidades polarizadas y a la vez complementarias de la definición del ser femenino, otro Yo poético empieza a emerger en búsqueda de su propia ontología y autoconocimiento epistemológico.

«En el filo del gozo» es un poema en el que resuena el *Cantar de los Cantares* desde el punto de vista de la hablante femenina. La hablante se

---

28 Castellanos, *Mujer que sabe latín...*, p. 206.

percibe como si su existencia deviniera tras una ciudad amurallada cuyos muros son análogos al «Cuerpo de amor». Así ella, a propósito, puede usar el cuerpo del amado como muro que la proteja de la muerte:

> Entre la muerte y yo he erigido tu cuerpo:
> que estrelle en ti sus olas funestas sin tocarme
> y resbale en espuma deshecha y humillada.
> Cuerpo de amor, de plenitud, de fiesta,
> palabras que los vientos dispersan como pétalos. (p. 31)

El amado es muro y ente retórico. Su significado es doble. Primero, el «cuerpo de amor» representa una fantasía autoprotectora, una estructura contra el tiempo. Pero también es un sueño deseado, y la hablante se apropia del enunciado del amado a la amada del *Cantar de los Cantares*, «estás encerrada en un jardín», para construir su «venturosa ciudad amurallada» donde puede danzar «mientras el tiempo llora por sus guadañas rotas». Dentro de ese espacio, el amante, cuya primera aparición es metafórica y debida al deseo de evadir la muerte, ahora puede aparecer físicamente: el segundo aspecto de la construcción del amante. La construcción de la «venturosa ciudad amurallada» hace posible la actualización de la experiencia sensual:

> Mi sangre se enardece igual que una jauría
> olfateando la presa y el estrago.
> Pero, bajo tu voz mi corazón se rinde
> en palomas devotas y sumisas. (p. 31)

Mas porque ese espacio se construye contra el tiempo y se funda en símbolos que se bifurcan en dos tradiciones literarias —la romántica y la mística— el «cuerpo de amor» también puede ser interpretado como la experiencia de Dios. El poema se puede leer en la plena ambigüedad y equivocación que los símbolos heredados le prestan. Lo que no es ambiguo ni equívoco, sin embargo, es el propósito mítico de superar la muerte. Ambos sirven para crear un espacio donde la muerte y la existencia finita se eluden. Es al nivel del propósito mítico-teológico que se abre una tensión entre «En el filo del gozo» y el *ethos* de la herencia textual —como ha dicho repetidamene Denis de Rougement en *Love in the Wes-*

*tern World*; el deseo de unirse con el amante, ya sea insertado en la tradición mística o romántica, sólo puede perfeccionarse por medio de la muerte, que es deseada por los amantes para eternalizar la unión. En «El filo del gozo», al igual que en poemas subsiguientes, el entendimiento de la muerte emerge de un orden diferente al idealismo. Un orden donde el tiempo es finito y la muerte es inelectuable. La claridad autoconsciente de la diferencia es evidente al contrastar los famosos versos de Santa Teresa, «Muero porque no muero», y los de Castellanos. «Entre la muerte y yo he erigido tu cuerpo». Castellanos está plenamente consciente de que el propósito del nudo mítico/místico es evadir un examen de la finitud del tiempo. Te construyo para no morir.

«De la vigilia estéril» progresa hacia el rechazo del amante/dios tradicional y lo femenino según su inscripción bíblica o sus interpretaciones, junto con la sensibilidad romántica. La fuerza motivadora es la conciencia del tiempo en su dimensión histórica, que rechaza específicamente la metafísica de una antigua cristiandad que invierte el valor del tiempo de tal manera que el tiempo, después de la muerte, es de mayor valor que el tiempo existencial. La condición resultante de tal metafísica es, como Nietzche ha notado en *El anticristo*, una actitud profundamente contra la vida, condena a la vida misma, en vez de gozarla o enfrentarla.

En otro nivel, el espacio sugerido por el nudo sintetizador mítico del que se deriva «En el filo del gozo» es un espacio antisocial. Es sitio donde la amante y el amado no necesitan de otros, pues la absorción mutua destruye o trunca la conexión con los otros. Si aceptamos la observación de de Rougement de que la construcción de lo femenino dentro de las sintetizaciones místicas o románticas es una metáfora que el hablante masculino manipula para emprender su propia búsqueda del ser más perfecto —que es complementado como Simone de Beauvoir ha visto por la manipulación de la metáfora del amante/dios[29]—, entonces la tentativa de insertar al ser femenino dentro de esa estructura retórica no sólo es evasión de la temporalidad sino antitética al otro hilo mítico sintetizante en que se inscribe lo femenino: la maternidad. El propósito de ésta es social y reproductivo. «De la vigilia estéril» se basa en el examen de esta

---

29 Denis de Rougement, *Love in the Western World*, trad. Montgomery Belgion. New York: Pantheon Books, Inc., 1966. Simone de Beauvoir, *The Second Sex*, trad. y ed., H.M. Parshley. New York: Vintage Books, 1974.

polarización binaria femenina para explorar la inscripción heredada de lo femenino, y para proyectar la ontologización femenina que continuamente reinscribe y desplaza.

En el poema «La Anunciación», Castellanos nos da su interpretación de la experiencia biopsíquica de la función femenina reproductora. «La Anunciación» se apropia del *Antiguo* y *Nuevo Testamento* tanto como la obvia alusión a María, la madre elegida. En tanto que la feminidad de Eva y María representa la función reproductiva, las dos figuras implícitas que en otros contextos representan distintas nociones, en éste se funden, y en suma el significado materno de María surge triunfante. María se transforma en el prototipo al cual el ser femenino puede imitar para actualizarse.

El primer verso del poema es siniestro porque el destino femenino se ve divinamente —y por tanto inescapablemente— determinado. La hablante, cuya voz una las figuras sublimadas de Eva y María, declara que ella fue programada para la reproducción aún antes de la creación y de la expulsión del Paraíso. Su destino estaba ligado a una voluntad divina no enunciada:

> Porque desde el principio me estabas destinado.
> Antes de las edades del trigo y de la alondra
> y aún antes de los peces.
> Cuando Dios no tenía más que horizontes
> de ilimitado azul y el universo
> era una voluntad no pronunciada. (p. 32)

El destino femenino dentro del contexto genético es simultáneo con un ser divino. La misma noción de Dios es coexistente con su origen y destino, y ese destino, para materializarse, espera solamente su pronunciación. Es como si el destino genético de la mujer estuviera aprisionado en Dios mismo, como si la noción de Dios, tal como se presenta en la Biblia, especialmente en sus aspectos deterministas, fuera repentinamente descubierto.

Dada la premisa que el origen de la mujer y su destino están en simbiosis con la noción de Dios, la evolución del significado femenino progresa ineluctablemente a cumplir su determinación. Una vez que la expulsión del Paraíso tiene lugar y se hace «el castigo de la arcilla», el destino divinamente determinado es en efecto enunciado, y toma forma. Idea divina se hace hecho —o sea, que la presuposición reproductiva coexiste con la presuposición divina en sí.

En este momento de «La Anunciación», tres distintos aspectos del ser femenino se entretejen para efectuar la transfiguración maternal. Además, son diseños de la voluntad divina:

> Modeló mis caderas y mis hombros,
> me encendió de vigilias sin sosiego
> y me negó el olvido. (p. 32)

En el ente femenino se incluye la estructura material del cuerpo, la visión del cuerpo como objeto cuya visión requiere al infante para su utilidad, y el deseo psíquico cuya memoria es negada y sólo se satisface por medio de la maternidad. Las características físicas incluyen la forma de sus «caderas y hombros», el sentido de pérdida de un *in illo tempore* relacionada con la pérdida del «peso dulce sobre mi pecho», el niño. Al reinscribir el destino maternal femenino cristiano no es la separación del andrógino platónico en hombre y mujer lo que se lamenta, sino la separación de la madre y el hijo. El enfoque insólito de Castellanos apunta de manera radical que las narrativas idealistas con referencia a la unión anterior y la división subsiguiente engendran configuraciones distintas. Una manera de decir que hay dos nociones del Ideal Femenino, cada una conlleva a divisiones con su lógica y carga simbólica propia.

Ademas, el sonido de la voz, la forma de la cintura, el paso mesurado y el sistema circulatorio se adaptan para la reproducción. Son signos de la voluntad divina determinista que responden al hijo del cual sufrió la separación:

> Dócil a tu ademán redondeó mi cintura
> y a tus orejas vírgenes mi voz, disciplinada
> en intangibles sílabas de espuma.
> Multiplicó el latido de mis sienes,
> organizó las sienes de mis venas
> y ensanchó las planicies de mi espalda.
> Y yo medí mis pasos por la tierra
> para no hacerte daño... (p. 33)

También la fuerza del determinado destino divino es superior a los deseos propios y la posibilidad de negarse se dificulta a raíz del cuerpo mismo. Inherente a esa fuerza está su destrucción:

> Porque habías de venir a quebrantar mis huesos
> y cuando Dios les daba consistencia pensaba
> en hacerlos menores que tu fuerza. (p. 33)

El mandato determinante es destino y muerte. En el curso de esa lógica del origen y destino femenino, el cuerpo existe para mediatizar la reproducción. Dentro de la narrativa maternal idealista no hay alternativas, sólo aceptación y sumisión. Es una narrativa cerrada, sin aperturas. La percepción del cuerpo como objeto que requiere al hijo para la autoidentidad y utilidad se representa así:

> Sin nombre mientras tú no descendieras
> languidecía, triste, en el destierro.
> (...)
> Un cántaro vacío asemejaba
> (...)
> Una cítara muda parecía
> (...)
> debo ser como un arca y como un templo (p. 33)

El nombre que la liberará del exilio, la incorporará a la esfera biosocial y le recuperará su sentido íntegro, es Madre, no Rosario Castellanos, por ejemplo. El sentido psíquico de pérdida, que se origina en la nostalgia por la plenitud, también la impulsa a buscar al hijo:

> Yo sabía que estabas dormido entre las cosas
> y respiraba el aire para ver si te hallaba
> y bebía de las fuentes como para beberte (pp. 32-33)

El deseo de plenitud se articula mediante la poesía mística, especialmente las de San Juan de la Cruz («Noche oscura del alma») y Santa Teresa. La búsqueda de las trazas y señas del hijo/dios no se puede evadir hasta que la experiencia se actualice, Ni la muerte puede elegirse para salir de esta búsqueda predeterminada porque ha sido apropiada por el hijo. En el grado que las imágenes se retoman para dar cuenta del significado del destino reproductivo, éste se compara y aún se equipara al deseo del retorno a Dios, que sólo se puede lograr al actualizar la función. El círculo se cierra.

La muerte como punto teleológico de la existencia, especialmente como la entendía Castellanos después de su lectura de Gorostiza, es fundamental a los poemas «En el filo del gozo» y «La Anunciación». O sea, que ese entendimiento es fundamental para reinscribir el otro. Al retomar los dos discursos narrativos ideales que mediatizan al ente femenino y la muerte su representación resulta determinista. El primero por medio de la evasión erótica, el segundo por medio de la maternidad. Aunque la muerte sea el término que une a los dos, también se excluyen entre sí en tanto que uno evoca la fusión con el amado y el otro con el hijo. Puede ser que todos los discursos narrativos ideales sean «radicales»; no obstante, la contradicción expuesta aquí no es tanto que lo radical se desvía de lo usual o lo tradicional, sino que en la medida en que la tradición se funda de manera esencialista determinante, es radical. La radicalidad ensayada en estos poemas es la ontoteología fundamentalista femenina que los textos heredados ofrecen. La novedad de esta reinscripción es exponer la ontología femenina en el contexto ontoteológico de la mortalidad, que implícitamente se contrasta con el contexto existencialista.

El poema que sigue a «La Anunciación» es el que nos da el título del libro, «De la vigilia estéril». El poema rechaza la noción de la Primacía de la Madre en la obra de Gabriela Mistral y la visión maternal de lo femenino a través de la cual Mistral forja su propia voz e identidad poética.[30] Ambos, «La Anunciación» y «De la vigilia estéril», son una relectura del «Poema del hijo», de Gabriela Mistral, donde el deseo del hijo se articula como sigue:

> Decía: un hijo!, como el árbol conmovido
> de primavera alarga sus yemas hacia el cielo
> ¡Un hijo con los ojos de Cristo engrandecidos,
> la frente de estupor y los labios de anhelo!

---

30 Gabriela Mistral, *Desolación, ternura, tala, lagar*, introd. Palma Guillén de Nicolau. México: Editorial Porrúa, 1973, p. 35.

Sus brazos en guirnalda a mi cuello trenzado;
el río de mi vida bajando a él fecundo,
y mis entrañas como perfume derramado
ungiendo con su marcha las colinas del mundo. (p. 30)

Como he comentado, Castellanos inicialmente funde las figuras subtextuales de Eva/María, en el poema de Mistral las figuras subtextuales son María/Gea, la diosa de la Tierra. En la poética de Mistral no figura Eva. Y aunque la poética de Mistral aprehende un entendimiento de la ontología femenina tal como pueda expresarse por medio de la noción de la Primacía de la Madre/Gea, la figura de María en «Poema del hijo» desaparece. (Comentaré esto más adelante.)

En tanto que la identificación inicial con María/Gea se frustra, y Mistral tiene que reconciliarse con la esterilidad, el poema se mueve hacia una reconciliación amarga con su destino, y declara que se dedicará a «los hijos ajenos». Una ironía siniestra para una poeta que celebra la primacía de la Madre.

Al releer «Poema del hijo», Castellanos, en fecto, escribe dos poemas cuyo propósito es diferente. Mistral concluye su poema amargamente reconciliada. Pero Castellanos procede de «La Anunciación», la narrativa del destino maternal, a la negación de ese destino, «De la vigilia estéril», que invierte la lamentación de la esterilidad de Mistral.

«De la vigilia estéril» es la justificación del rechazo de ser madre, «no quiero dar la vida» (p. 35), y la afirmación de una identidad con Eva, «Antes, para exaltarme bastaba decir madre. / ... Ahora digo pecado» (p. 35). Pero, en parte, lo que Mistral utiliza como racionalización para reconciliarse con su circunstancia, Castellanos lo usa como justificación de la decisión; y lo que Mistral percibe como el resultado de su situación, Castellanos lo ve como la petición que debe negarse.

Castellanos se percibe como el instrumento para la perpetuación de la especie y de la colectividad. Los antecedentes muertos corren por su cuerpo, pidiendo la continuación de su linaje para redimirse:

Todos los muertos viajan en sus ondas.
Agiles y gozosos, giran, bailan,
suben hasta mis ojos para violar el mundo,
se embriagan de mi boca, respiran por mis poros.

Juegan en mi cerebro.
Todos los muertos me alzan, alzándose hacia el cielo.
Hormiguean en mis plantas vagabundas,
solicitan la dádiva frutal del mediodía.
Todos los muertos yacen en mi vientre. (p. 35)

La colectividad pide eternizarse por vía de la Madre Redentora en «La Anunciación». No obstante, la hablante se niega a cumplir su destino; «para exaltarnos, bastaba decir madre» y «Ahora digo pecado». Se polarizan los valores de lo femenino entre lo que Ortner llama «los símbolos femeninos subversivos» y «los símbolos de trascendencia (diosas, repartidoras de la salvación...)».[31]

El símbolo femenino subversivo sublimado aquí es Eva, el prototipo del pecado y la rebelión contra lo divino. «El tema exasperado de mi sangre», es decir, la continuación del linaje colectivo tanto como el destino biológico representado en estos poemas, será negado. En efecto, es una rebelión que trata de erradicar el deseo colectivo de perpetuarse por medio de la capacidad reproductiva de la mujer en su calidad redentora. En este poema es en la postura rebelde que la hablante se relaciona con Eva. Esta alianza la hará objeto de odio, y sólo la soledad en calidad de escudo la protegerá. Pero también es un exilio autoimpuesto de la colectividad social que vive bajo la influencia ideológica figurada por María. Es el rechazo de «La Anunciación», el rechazo del sitio biosocial que se le otorga por medio de esa ideología. Así podemos ver claramente el uso estratégico que Castellanos hace de la figura de Eva. En «Trayectoria», Eva sirve para identificar a la mujer y a la muerte en un ámbito existencial. Aquí, la figura sirve para salirse de las significaciones de lo femenino en la metafísica cristiana —sin renunciar al cuerpo femenino, Eva.

Como dije anteriormente, «Poema del hijo», de Mistral, representa lamentación y reconciliación con la esterilidad, a diferencia de la rebelión de Castellanos contra el «tema exasperado de mi sangre». Sangre se usa como metáfora para significar la feminidad en relación al linaje colectivo: menstruación y perpetuación de la estirpe, signo de reproduc-

---

31 Sherry B. Otner, «Is Female to Male as Nature to Culture?», en *Woman, Culture and Society*, Michele Zimbalist Rosaldo and Louis Lamphere, eds. Stanford: Stanford University Press, 1974, p. 86.

ción. La reinscripción del *Antiguo* y *Nuevo Testamento* que hace Castellanos también incluye una de Mistral, la precursora, modelo y rival en
la aventura poética.

La reinscripción de Mistral incluye la reformulación de la posición
de Mistral. La racionalización que asiste a la aceptación mistraliana se
basa en la afirmación de que el hijo no nacido tal vez la habría abandonado así como el amante que habría podido ser el padre: «que sólo por
ser suyo me hubiera abandonado».[32] El poema lamenta la doble pérdida
del amante/padre y la promesa del hijo. Porque «Poema del hijo» es tanto lamento sobre la pérdida del amante como del hijo posible, así como
un reproche contra su propio padre que abandonó a su madre. Mistral
propone que es mejor que no haya hijo ya que éste la reprocharía también. La serie de pérdidas, reales y proyectadas, se devuelven en torno al
abandono de la hija/madre por el amante/padre/hijo. Estos son vistos
como entes que abandonan a las mujeres y las dejan solas con su angustia. Así no tener al hijo es fuente de «amargo goce». Los reproches y pe-
nas actuales y proyectadas que Mistral articula para urgirse a efectuar la
reconciliación, Castellanos los retoma para justificar su decisión de no
«dar la vida».

Al momento de «amargo goce» en el poema, Mistral empieza a percibirse como presagio de la muerte, un ser negativo asímil a la naturale-
za/Gea. Como símbolo de maternidad no realizada, ella representa el fin
de la colectividad:

> Caeré para no alzarme en el mes de las mieses;
> conmigo entran los míos a la noche que dura
> (...)
> mis pobres muertos miran el sol y los ponientes,
> con un ansia tremenda, porque ya en mí se ciegan.[33]

Si no fuera por el poema mismo su raza muerta, su fama y gloria no se-
rían reconocidas. La esterilidad biológica será reemplazada por la creatividad artística. Mientras que el aborde de Castellanos a la esterilidad toma la forma de rebelión contra el destino genético, a diferencia del desti-

---

32 Mistral, p. 31.
33 Mistral, pp. 36-37.

no «personal» de Mistral, Castellanos, también, tratará de reemplazar la creación biológica con la creación cultural.

La diferencia decisiva en la relectura de Mistral por Castellanos, es el rechazo de la Primacía de la Madre que sostiene Mistral. La afirmación mistraliana de la Primacía de la Madre aparece en mucha de su poesía, pero se ve claramente en «Recado terrestre». «Recado terrestre» es un ataque abierto a Goethe —«Padre Goethe, que éstas en los cielos»— y su representación del «eterno femenino» que se articula en *Fausto* que seduce a los hombres. Mistral lo ve como «burla visionaria» de «nosotras» las mujeres a quienes ella identifica con «Tierra, Deméter y Gea y Prakriti». Estas diosas han sido culturalmente expulsadas por Goethe y su simbología de lo femenino trascendental:

Tal vez tú recuerdes como a fábula
y, con el llanto de los trascordados,
llores recuperando al niño tierno
que mamó leches, chupó miel silvestre,
quebró conchas y aprendió metales.

Tú nos has visto en horas de sol lacio
y el Orión y la Andrómeda disueltos,
acurrucarnos bajo de tu cedro,
parecidos a renos atrapados
o a bisontes cogidos del espanto.[34]

Mistral acusa a Goethe de haber trasformado a las mujeres y sus hijos, cuyo linaje se liga a la Diosa de la Fertilidad, en monstruos aterrorizados. Esa transformación se lleva a cabo por medio de la metáfora sobre lo femenino ideal celestial cuyos orígenes se arraigan en un culto nocturno. La polarización entre el símbolo femenino del Padre Goethe y el de Mistral no se puede entrelazar dada la posición de él «sobre los cielos» y la de ella «en la gruta», desde la cual prevé un renacimiento, aunque la diosa «apenas habla». Las madres que «apenas hablan» han sido degradadas por ese ideal. Es obvio que Mistral, a su vez, también ejecuta reinscripciones, desplazándolas mediante el uso de figuras prepatriarcales.

---

34 Mistral, p. 234.

La búsqueda literaria de Castellanos, en parte, será una tentativa de descubrir un espacio más allá del ideal patriarcal de la «feminidad celestial» o del ideal prepatriarcal de la diosa que afirma la Primacía de la Madre. Aunque polarizadas, ambas ideologías representan símbolos femeninos de trascendencia. Para escapar del dilema, Castellanos escoge la figura subversiva de Eva. Mediante ella se forjará la nueva ontología femenina: «sobre el cadáver de una mujer estoy creciendo, / en sus huesos se enroscan mis raíces». Porque lo nuevo desplaza a «La Anunciación», ahora se percibe como un «ángel de la muerte», sugiriendo la conexión con otro rebelde, Lucifer, ya que el rechazo de la reproducción se ve como un reto a la voluntad divina. En efecto, el vientre negado al hijo será el sitio del renacer propio. En otro poema se ve a sí misma como su propia madre, producto de su deseo y visión. Al volverse su propia madre, se deshace de su linaje anterior: «Soy hija de mí misma. / De mi sueño nací. Mi sueño me sostiene» (p. 46). Una tentativa consciente de cambiar su identidad y reconstruir sus orígenes. Pero como observa Burke, ya que «la formación del rol» —o sea, la inscripción recibida— al trabajarse incluye una «transformación», es obligatorio preguntar «de qué a qué».[35] Dentro del contexto de «De la vigilia estéril», no hay respuesta específica al «de qué a qué» más allá de un deseo intenso de abandonar el pasado, mirar hacia el futuro proyectado de la nueva conciencia y la aventura poética. Poemas posteriores exploran los «qués» adicionales que deben abandonarse para reconstruir la posibilidad anticipada frente a la cual lo recibido se experimenta como otredad al sí vivido.

El *Cantar de los Cantares*, que sirve de fundación para la construcción del amado fantasma (fantástico) en «Al filo del gozo», se rearticula para representar su inevitable, aunque lamentada, pérdida en «Elegías del amado fantasma» y «Distancia del amigo». Ecos de las convenciones retóricas de la poesía mística y cortesana se interponen especialmente cuando el *Cantar de los Cantares* es el supuesto texto de referencia. Estas convenciones se adaptan y se reformulan para que la hablante femenina pueda entender su nueva ontología. Es importante recordar que la perspectiva dentro de la poesía amorosa tradicional tiende a cosificar al «ideal

---

35 Kenneth B. Burke, *The Philosophy of Literary Forms*. New York: Vintage Books, 1961, p. 33.

eterno femenino», y está en contradicción y en conflicto con la representación de la Diosa de la Fertilidad, o con la individualización de la identidad femenina que es, en parte, el campo que Castellanos trabaja. «Elegías del amado fantasma» describe y lamenta la pérdida del amante/dios. Para precisar, se lamenta la pérdida de la fantasía o quimera, que es incompatible con la nueva conciencia y la búsqueda de su ampliación. Por extensión, la pérdida es parte sublimada de sí que ha asimilado por haber creído en esa inscripción de lo femenino que, en cierto sentido, prometía protección de la confrontación con la mortalidad. La conciencia irónica inherente en el poema es que el etendimiento de la hablante de la muerte ha cambiado cualitativamente y se diferencia de la del romance aludido, y además es la pérdida del amante fantástico lo que se lamenta. En la tradición cristiana (o como de Rougement dice, herética por su contexto inicial maniqueo),[36] la muerte es el fin deseado porque promete una vida eterna o perfeccionada, o una trascendencia deseada de la vida diaria y la muerte. Pero la conciencia de la muerte en el trabajo de Castellanos, como se expone en «Trayectoria» y en algunos poemas de «De la vigilia estéril», se enmarca desde una perspectiva existencialista. Dentro de ésta, la pregunta más importante es la «pregunta de la significación»,[37] y sus horizontes sociohistóricos.

En cierto sentido, las elegías también son elegías para «el cadáver de una mujer» sobre el que «se enroscan mis raíces». Las raíces que en la poesía también se imaginaran como el ser/árbol para explorar aspectos del significado de la feminidad, y tener posesión de ontología. Así, por ejemplo, mientras que Mistral usa el símbolo del árbol para representar a lo femenino como poder espiritual y cuidado maternal,[38] Castellanos tratará de emplearlo para explorar significados alternativos de lo femenino.

La pérdida del «amado fantasma» que intertextualiza la ambigüedad místico-romántica, y puede significar tanto pérdida del amante, como una especie de dios, la deja como «sauce llorante», arraigado en la tierra,

---

36 De Rougement, p. 85.
37 Ralph Harper, *The Existencial Experience*. Baltimore: The John Hopkins University Press, 1972, pp. 57-59.
38 Mistral, pp. 20-21.

mientras que él, inventado doblemente —por la tradición y por ella como objeto de su deseo— se marcha:

> Inclinada, en tu orilla, siento cómo te alejas.
> Trémula como un sauce contemplo tu corriente
> formada de cristales transparentes y fríos.
> Huyen contigo todas las nítidas imágenes,
> el hondo y alto cielo,
> los astros imantados, la vehemencia,
> la ingrávida del canto.
>
> Con un afán inútil mis ramas se despliegan,
> se tienden como brazos en el aire
> y quieren prolongarse en bandadas de pájaros
> para seguirte a donde va tu cauce.
>
> Eres lo que se mueve, el ansia que camina,
> la luz desenvolviéndose, la voz que se desata.
>
> Y soy sólo la asfixia quieta de las raíces
> hundidas en la tierra tenebrosa y compacta. (p. 37)

La aprehensión de lo biológico como elemento conectado con procesos
naturales tanto como con la naturaleza misma se emplea para vincularse
con el cuerpo biológico y la existencia terrestre como árbol profundamente arraigado, pero también tan próximo al ente deseado como para
observar su partida y con ella un tipo de poesía. Sin embargo, así como
su relación con él ha sido inscrita dentro de un discurso poético y deseado, él tiene una especie de permanencia porque ella puede ser el recep-
táculo de esa quimera y su promesa será fuente de sufrimiento, una nostalgia:

> Tal vez no estés aquí dominando mis ojos,
> dirigiendo mi sangre, trabajando en mis células,
> galvanizando un pulso de tinieblas.
> Tal vez no sea mi pecho la cripta que te guarda.
>
> Pero yo no sería si no fuera
> este castillo en ruinas que ronda tu fantasma. (p. 41)

La identificación de la hablante con el «castillo en ruinas», que ha simbolizado un recinto amoroso místico y no-místico, es simultáneamente la destrucción y el rastro de un modo de ser.[39] No obstante el desmoronamiento del castillo y su discursividad en tanto que es rastro ontológico, la esperanza de que «tal vez no sea mi pecho la cripta que te guarda» queda anulada por la memoria que habita dentro de ella y de otros. Si al nivel del entendimiento consciente la fantasía se ha desintegrado, al nivel de la memoria, ella es el sitio y sobra arqueológica, como signo femenino e internalizadora del signo, tanto como emprendedora de la búsqueda de signos alternativos con significados alternos.

Como «recinto amoroso», ella es sujeto y objeto. Como objeto, es el sitio mismo, aunque en ruinas; como sujeto, ha internalizado el «ideal femenino» de la tradición cultural, y la partida del amante fantasmal incluye «las nítidas imágenes», el «canto» y «el hondo y alto cielo». Al renunciar y desaparecer el nudo nítido que el «amado fantasma» representa, ella siente una fragmentada y múltiple autorreflexión, «frente al escombro de un espejo roto». La desmembración de la fantasía metafísica que también es su espejo, conlleva un rastro nostálgico que consume sus días «ardiendo en tu recuerdo». Sin embargo, el recuerdo apenas ilumina «el túnel de silencio / y el espanto impreciso / hacia el que paso a paso voy entrando» (p. 40). Lo que se viene representando es un rito de pasaje, un distanciamiento de la participación colectiva en la ontología cultural de lo femenino. El pasaje es raíz del terror en tanto que se transita hacia un terreno desconocido.[40] Existe una tensión que provoca la tenta-

---

39 De Rougement, pp. 168-169.

40 Hegel señala tres estadios en la búsqueda espiritual. En el primero, el individuo está irreflexivamente unido a la sustancia social; en el segundo se produce una rebelión del ser contra la sustancia social, que es vista como «lo otro», ajeno, y en el tercero el individuo tiene conciencia de que la sustancia es su propia creación. Entonces se reconcilia o se rinde a la evidencia de que no es una entidad única sino que forma parte de un gran todo. Ver Charles Taylor, *Hegel.* London: Cambridge University Press, 1977, pp. 148-157. En *Between Past and Future*, Hanna Arendt sostiene que el existencialismo es la rebelión del filósofo contra la filosofía (New York: Penguien Books, 1968, pp. 8-9).Slochower ha expresaso que la mitopoesía existencial «centers on the second stage of the myth, that which is concerned with the revolt of the individual against the mythic collection... In this process of loosening, the mythic hero experiences alienation, fear and guilt. Yet, he continues on his journey away from "home", accepting the responsability of his free action or his crime». En

ción de refugiarse dentro de lo conocido, de reconciliarse: «Algo vibra en mi ser que aún protesta / contra el alud de olvido», y en cierto sentido la tentatación permanecerá ya que ella representa el rastro de las ruinas arqueológicas del «recinto amoroso».

En «Distancia del amigo», la versión romántica del «ideal femenino» que se arraiga en escrituras medievales reformuladas para explorar sus modos especiales de relación con la hablante femenina. La reformulación incluye la representación física y psíquica del amigo/amante, quien no obstante la «distancia» anunciada en el título del poema, permanece cerca porque ella es su complemento:

> Mi amigo, sin embargo, está cercano
> podría yo tocarlo si pudiera
> tocar mi corazón recóndito y sellado. (p. 42)

Si su corazón, el cual ella cierra y protege, pudiera ser tocado, ella descubriría que en efecto es el doble de él. El poema-carta del amigo proviene de un tiempo *in illo tempore* y *un locus amoenus*:

> La fecha de esta carta que estrujo es muy remota
> —de un tiempo en el que el tiempo no existía—
> y la ciudad de que habla se reclina
> más allá de los mapas. (p. 42)

Su existencia es intemporal, aunque la carta es reciente: «En una tierra antigua de olivos y cipreses / ha fechado mi amigo su más reciente carta». Lo unico que ella tiene de él es la carta, sus comunicaciones poético-lingüísticas. De modo que tiene que imaginarse su apariencia física:

> Lo imagino escribiendo, sentado en una roca

---

«Existencialism and Myth», *Marxism and Art*, Maymard Solomon, ed. Detroit: Wayne State Press, 1979, pp. 489-491. Sin embargo, dado que la mitopoesía existencial no lleva necesariamente a la negación de lo colectivo a un autoanálisis crítico, ni explora las fuentes de las que surge, la mitología revisionista muy bien puede ser un «estar en la cerca» y en diálogo con lo colectivo, no inclinándose ni hacia la reconciliación ni hacia el completo abandono de la colectividad.

a la orilla del mar, tirando piedrecitas
sobre el lomo verduzco de las olas.
(Si estuviera en un parque tiraría
migas a los gorriones,
si en un estanque, Ledas a los cines.)
Lo imagino volviendo su rostro hacia el crepúsculo,
mordisqueando una brizna mientras piensa
que la vida es tan bella porque es corta.
(No es de los que invocan a la muerte.
Es de los que la hospedan, silenciosos,
en el sitio más hondo de su cuerpo.)
Se levanta después y camina despacio,
con las manos metidas en las bolsas
de un traje viejo y ancho.
Puede hervir a su lado la multitud. Mi amigo
está solo. Entre hombres embriagados
de dicha, entre mujeres ojerosas de duelo
lleva su soledad como una espada
desnuda y eficaz, radiante de amenazas.
Llega a su cuarto. Lo abre. Nadie espera.
Hay un olor oscuro,
pesado, de ventana estrangulada.
Igual que cuatro cirios metálicos relucen
las cuatro extremedidades agudas de la cama.
Se ha desplomado en ella y una punta lo hiere.
¡Cómo sangra empapando las sábanas, tiñéndolas,
mientras bajo su frente se incendian las almohadas! (pp. 41-42)

El poema entero es simultáneamente reinscripción y parodia crítica
literaria[41] de la postura y actitud romántica del «amigo», de las cuales
ella habría sido complemento si no se hubiera transformado. El poema
contiene las imágenes convencionales del bohemio solitario que entretie-
ne sueños suicidas. Se separa de la sociedad circundante al absorberse en
la búsqueda del «ideal femenino», su otro. En la «cama-cripta» de alucinación e ilusión antisocial, existen ecos y alusiones a José Asunción Sil-

41 Alex Preminger, ed., *Princeton Encyclopedia of Poetry and Poetics*. Princeton: Princeton University Press, 1974, pp. 600-602.

va, Rubén Darío, el Neruda de *Veinte poemas de amor y una canción de-
sesperada* y de muchos otros poetas.

Sin embargo, la parodia literaria del *ethos* romántico es sólo una crítica de ciertas posturas exhaustas. Hay una fuente más seria de su creación: el terror a la noche como símbolo de la soledad, el silencio y la
muerte. Dentro del *ethos* romántico, como lo presenta Novalis en *Him-
no a la noche*, los horrores que la noche anuncia se pueden aludir mediante la iluminación imaginativa del ensueño. Pues es dentro de esa oscura soledad y silencio liberados de la luminosidad de lo cotidiano que la
imaginación se desata para crear un ámbito diferente.

La aceptación de los terrores de la noche como símbolo de la muerte, más allá del *ethos* de la mística y del romance es el tema del poema
«Nocturno»:

> Amemos la garganta de los lobos
> y el filo de su grito entre las sombras.
> Amemos su amenaza y nuestro miedo.
> (...)
> Todos los seres aman su destino
> nuestro destino es padecer la noche.

Como el «huerto encerrado», «el país de íntimas huertas», y la
«venturosa ciudad amurallada» se desmoronan en «Nocturno», es imperativo afirmarse dentro del momento dramático en el cual el pasado, el
presente y el futuro coexisten:

> Arrullemos
> con canciones de cuna a la memoria
> y amemos esta zona devastada. (p. 43)

Es el momento en que el ser podría reconciliarse con el pasado o rompe-
ro con él. En el umbral del rito del pasaje coexisten en tensión la memoria, el presente y el futuro. La hablante se urge a amar «esta zona devastada», espacio que se asemeja al sitio de la «vigilia estéril» en la ausencia
del dios/amante y el hijo biológicamente destinado. Mas, envuelta en la
«vigilia estéril» está la pérdida de una retórica que ha de reemplazarse
también.

En el resto de los poemas de «De la vigilia estéril» se examinan las implicaciones del contrato simbólico rechazado. El rechazo del contrato sitúa a la autora en «el margen del vacío» o «entre el advenimiento y el vacío», como dice el epígrafe en «Trayectoria», tomado de Paul Valery. El momento bajo contemplación para una antigua creyente incluye el horror y el terror de una nueva individuación final de una metafísica inspirada en lo divino.[42] La representación triple de Castellanos de una «vigilia estéril», esto es, el rechazo de un destino materno determinado, del dios/amante involucrado en ese destino, y del idioma que articula, se pronuncia como una rebelión contra el contrato mitosimbólico dentro del cual lo femenino se inscribe. Sin embargo, dado que ella habla desde dentro del contexto de un *ethos* cultural que todavía se adhiere en demasía a los principios del contrato, ser una mujer rebelde, asumir la figura de Eva como punto de partida estratégico para explorar el autoconocimiento, bien puede implicar para el ente femenino la soledad, la locura, el exilio de la comunidad y de la comunión. En cierto sentido, los extremos efectúan extremos. Si el destino en el poema «La Anunciación» se ofrece como la exaltación del ser al actualizar las expectativas colectivas por medio de la maternidad, el poema «Destino» conlleva la degradación correspondiente al negarse a la colaboración:

Una mujer camina por un camino estéril
rumbo al más desolado y tremendo crepúsculo.
Una mujer se queda tirada como piedra
en medio de un desierto
o se apaga o se enfría como un remoto fuego.
(...)
Quien la mira no puede acercarle ni una esponja
con vinagre, ni un frasco de veneno.
Una mujer se llama soledad.
Se llama locura. (pp. 44-45)

Se abandona el sentido de comunidad: «Era una sola sangre en varios cuerpos / como un vino vertido en muchas copas» (p. 44)—y el linaje comunitario católico evocado por la analogía sangre/vino, se rompe. Ahora hay «una sangre sola»:

---

42 Harper, pp. 74-77.

> moviendo un corazón
> como aturdido pájaro
> que torpe se golpea en muros pertinaces,
> que no conoce el cielo,
> que no sabe siquiera que hay un ámbito
> donde acaso sus alas ensayarían el vuelo. (p. 44)

La inversión a «sangre sola» interpreta por igual como pájaro liberado ignorante del vuelo y modos alternativos de ser. Mientras que la ruptura con la comunidad recuerda a «La loba» de Alfonsina Storni, donde dice: «quebré con el rebaño», la imagen del pájaro apenas liberado recuerda el más famoso poema de Storni, «Hombre pequeñito». El propósito de Storni con estas imágenes apunta, tanto como en Castellanos, hacia el sistema de creencias heredado que presiona sobre la circunstancia social en donde existe.

El sentido aparente de victimación sacrificante en «La Anunciación», con un objetivo de exaltación, sigue operando en «Destino», excepto que ahora el rito tendrá lugar más allá del «rebaño». La hablante experimenta ambas situaciones como si fuera el chivo expiatorio; pero elige el camino, no obstante los riesgos, para buscar significaciones y autoconocimientos diferentes.

«Muro de lamentaciones» es una tentativa de redefinir el futuro para que la desesperanza y degradación inherentes en «Destino» sean calladas por los esfuerzos del ser individual. Otra vez, una especie de negación dinámica hegeliana toma efecto, y el ser se niega a abandonarse a la victimización anticipada en «Destino». El ser intentará formular una nueva ontología, un contrato más ameno.

Revisando el orden y la representación del *Antiguo* y el *Nuevo Testamento*, «Muro de lamentaciones» se desarrolla hacia la declaración del autorigen:

> Si no existe
> yo te haré a semejanza de mi anhelo,
> a imagen de mis ansias. (p. 47).

«Muro de lamentaciones» se abre con una hablante distanciada que observa a «alguien», su otredad femenina, que lamenta la «zona devastada». El ser presente que observa al desterrado. La observación se realiza como si el panorama fuera la destrucción de «la hija de Zión», lamentada por Jeremías. Avanzando hacia otros tiempos y espacio, el «alguien» apenado es huella del ser abandonado por el nuevo:

> Porque yo soy de aquellos desterrados
> para quienes el pan de su mesa es ajeno
> y su lecho una inmensa llanura abandonada
> y toda voz humana una lengua extranjera.

> Porque yo soy el éxodo. (p. 45)

El éxodo de la comunidad, cuya manera de autoexpresión es «lengua extranjera», especialmente con referencia al ser deseado y proyectado. El éxodo del contrato simbólico antiguo hace que Castellanos declare que ella es su propia hija, su propia creación biopsíquica, con un pasado ahora involucrado en silencio, «memorias borradas» y soledad. Señala la emergencia de la figura solitaria que tendrá que reformularse. La protagonista, dentro de este drama meta/físico, se caracteriza por su rebelión. Ya que también es, desde un punto de vista feminista, una rebelión sociocultural —«en el rechazo de los aspecto más obvios de la feminidad»— la experiencia del silencio y de la soledad se intensifica. No parece haber un precedente para la posición asumida. La experiencia anticipada de la marginación sociocultural no sólo se derivará de la lucha que la aísla de la colectividad tradicional, sino también se extenderá a un aislamiento físico, ya que el *ethos* dominante requiere de la maternidad para dar entrada a la esfera biosocial. En un ensayo publicado casi veinte años después de la aparición de «De la vigilia estéril», Castellanos no encubre bajo el simbolismo opaco señalado su credo de que la maternidad confiere ciudadanía en los «núcleos humanos». Ni tampoco hace juegos de palabras con respecto a la actitud social hacia la mujer que se atreve a comprometerse, a autoconstruirse:

> La osadía de indagar sobre sí misma; la necesidad de hacerse consciente acerca del significado de la propia existencia corporal o la inaudita pretensión de conferirle un significado a la propia existencia espiritual es dura-

mente reprimida y castigada por el aparato social. Este ha dictaminado, de una vez y para siempre, que la única actitud lícita de la feminidad es la espera.[43]

El deseo de emprender la indagación sobre sí misma, lleva a Castellanos, en «Dos poemas», a elaborar el próximo paso en la búsqueda ontológica nueva al redefinir el sitio de su indagación. En este momento dos símbolos que resuenan en la poética de Castellanos adquieren más claridad en el contexto significativo: el árbol y el viento.[44]

La lucha para formarse una nueva identidad la deja sin contenido (el pasado): «Nada me llevo... Todo lo he perdido» (p. 54). El gesto poético hacia otro modo de ser lleva al reconocimiento de que «Todo se queda aquí» (p. 55). El proceso de descartamiento del ser antiguo y sus relaciones mítica pasadas requieren una fundación simbólica desde la cual se pueda empezar de nuevo:

> ... he venido a saber
> que no era mío nada; ni el trigo, ni la estrella,
> ni su voz, ni su cuerpo, ni mi cuerpo.
> Que mi cuerpo era un árbol y el dueño de los árboles
> no es su sombra, es el viento. (p. 55)

El proceso transformativo invoca al árbol como nuevo punto de partida simbólico para la ontológica subsiguiente, una que no niegue su relación con la naturaleza, no obstante el hecho de que la naturaleza no es dueña de sí misma, que en su aspecto esencial la naturaleza está interrelacionada con las corrientes del viento o con las contingencias existenciales y sus operaciones sobre el ser/árbol.

La conexión entre naturaleza y feminidad se afirma desde una perspectiva diferente. Nadie las posee, ni siquiera el ser mismo se posee, excepto las fuerzas de la existencia, los procesos del devenir en contexto.

---

43 Castellanos, «La mujer y su imagen», en *Mujer que sabe latín...*, pp. 15, 14.

44 Baptiste y Rebolledo han observado que estos símbolos aparecen y reaparecen en su poesía, pero no entran a considerar la forma en que Castellanos hace uso de ellos ni su importancia. Victor Baptiste, *La obra poética de Rosario Castellanos*. Santiago de Chile: Exégesis, 1972. Diana Tery Rebolledo, «The Wind and the Tree: A Structural Analysis of the Poetry of Rosario Castellanos», Diss. University of Arozina, 1979.

En este umbral como ser que atestigua «la belleza y la muerte de la rosa» (p. 52) y teme la posibilidad del futuro indeterminado y nebuloso, ella se siente envuelta por el silencio y amenazada por la soledad. Así, su casa, extensión del ser, se presenta como:

> Colmena donde la única abeja
> volando es el silencio
> la soledad ocupa los sillones
> y revuelve las sábanas del lecho
> y abre el libro en la página
> donde está escrito el nombre de mi duelo. (p. 55)

Paradójicamente, el silencio y la soledad son compañeras y antagonistas sobre las cuales el pasado y el futuro convergen. Al deshacerse del pasado crea un silencio, una página en blanco que debe llenarse para hacer frente a la soledad, la enemiga máxima. Mientras que el silencio se percibe como fundamento de la creatividad, la soledad adquiere personificación densa que la ataca, «abre el libro» (del pasado) para tentarla con la reconciliación o la resignación. El «libro» y la soledad son fuentes de un doble sufrimiento, en el cual la fuerza de la soledad es cómplice de «el libro».

En este sitio de lucha que son ella misma y su casa, la soledad la confronta «con los garfios de un obstinado diálogo» (p. 56). La respuesta de Castellanos a la lucha que se libra en sí misma es un reto no comprometedor:

> Yo callaré algún día; pero antes habré dicho
> que el hombre que camina por la calle es mi hermano,
> que estoy en donde está
> la mujer de atributos vegetales.
> Nadie, con mi enemiga, me condene.
> Nadie mienta diciendo que no luché contra ella
> hasta la última gota de mi sangre.
> Más allá de mi piel y más adentro
> de mis huesos, he amado.
> Más allá de mi boca y sus palabras,
> del nudo de mi sexo atormentado.
> Yo no voy a morir de enfermedad

ni de vejez, de angustia o de cansancio.
Voy a morir de amor, voy a entregarme
al más hondo regazo.
Yo no tendré vergüenza de estas manos vacías
ni de esta celda hermética que se llama Rosario.
En los labios del viento he de llamarme
árbol de muchos pájaros. (p. 56)

La casa del silencio, en la que el único fundamento que permanece es el árbol y sus relaciones con el viento, se proyecta hacia un futuro perfecionado y contra la soledad. Antes del último silencio su voz «habrá dicho». La voz que habrá dicho se figura como poemas/pájaros que servirán de puente sobre la brecha del devenir y el vacío. Entre las dos imágenes —árbol y viento— existe la voluntad de ser. No obstamte, el desplazamiento de una ontología femenina se suplanta con otra: «Estoy en donde está / la mujer de atributos vegetales». Es su reto a esa parte de la historia de las ideas que había estudiado en *Sobre cultura femenina*, especialmente la versión reductiva de la cultura/espíritu a principio masculino y la naturaleza a principio femenino. Esta visión reductiva y binaria es fuente de tormento para ella, que reúne ambos, que desea entender su espíritu en relación con el cuerpo. Así, se niega a rechazar la feminidad como parte de la naturaleza, y a la vez afirma su relación con el espíritu masculino, que es su «hermano», usando el simbolismo del árbol y el viento para referirse a las ideas tradicionalmente polarizadas. La tentativa de hacerse más que pura naturaleza o espíritu será mediatizada por el poema/pájaro, que funciona como la diferencia entre estas ideas en oposición. En fin, efectúa la apropiación del arte para sí, y ella misma es el proyecto hermenéutico de la poesía.

El silencio y la soledad también son medio de la creación poética. El silencio y la soledad se vuelven sujetos y objetos. Para 1958, Castellanos desarrolla una perspectiva en la cual la soledad define su noción de la escritura. Su punto de partida para el entendimiento de esa noción es la metáfora de José Gorostiza «O inteligencia, soledad en llamas».

La metáfora de Gorostiza sobre la inteligencia es fundamental para la perspectiva de Castellanos acerca de la escritora y de sí misma. Una perspectiva que la lleva a concebir su trabajo dentro del linaje de Sor Juana y de Gorostiza mismo, como poetas cuyo modo principal de experimentarse a sí mismos es «inteligencia, soledad en llamas». Castellanos reinscribe los términos de Gorostiza para destilar su posición. La representación de la inteligencia en Gorostiza se limita a la conciencia como agente concebido que crea nada. Es una facultad visionaria cuyas visiones se desmoronan de manera paralela a la existencia misma. Desde esta perspectiva, su poema «Muerte sin fin» es una manera de pensar la muerte como un proceso sin fin pero al cual él se abandona ineluctible e implícitamente. En su énfasis del«frenesí de muerte» hay poco que hacer excepto aguantar. Ya que Castellanos se compromete a la búsqueda del devenir del ser que se diferencia del heredado, no coincide completamente con la perspectiva de Gorostiza sobre la inteligencia. Para Castellanos la inteligencia o la conciencia también se compromete a luchar con la muerte, lucha en la cual la inteligencia quiere ganar, adquirir permanencia. El trabajo (la vida) se hace retando a la necesidad de morir. La inteligencia es agente activo que tiene impacto sobre el mundo y el ser. Hacia 1958, en Castellanos el término se entiende no como facultad (Gorostiza), sino como elemento constructor. El ensayo «Freedom of Opinion», de Simone Weil, influyó sobre Castellanos, que fue lectora de Weil especialmente durante la década de los cincuenta. La apreciación de Weil sobre la escritura y la inteligencia está empapada de lo que Panichas llama «austeridad puritánica».[45] La posición austera, ya que no «puritánica», de Weil sobre la responsabilidad pública del escritor tanto como la responsabilidad del escritor hacia sí mismo y la comunidad social por medio de la selección (o combinación) de «el cómo» («artepurista») y «el qué» o «el para qué» («arte comprometido»), se reinscribe en Castellanos. Para ésta también «el cómo», en tanto técnica formalista, es tan importante como el contenido y los lectores propuestos. Este principio que respalda el acto de escribir hace de la inteligencia y la soledad criterios instrumentales para la profesión. La soledad provee el distanciamiento de la colectividad y las opiniones de la tribu, realizando así el ejercicio de la inteligencia posible, especialmente de manera discernidora y evaluativa. La inteligencia es instrumento tan apasionado como la imaginación, y no la subvierte sino que la asiste. La inteligencia también es

---

45 George a Panichas, ed., *The Simone Weil Reader.* New York: David McKay Co., Inc., 1977, p. 303.

deseo, compasión y recreación, orienta, dirige, distingue «los actos que propiamente pueden llamarse espirituales». La soledad es necesaria, piensa Castellanos, para el ejercicio de la inteligencia porque ésta se piede, «dice Simone Weil, desde el momento en que se expresa con la palabra nosotros».[46] Esta cita glosa la observación de Weil: «The inteligence is defeated as soon as the expression of one's thoughts is preceded, explicitly or implicitly, by the little word "we"».[47] Para Castellanos, este principio se aplica a la necesidad de la escritora de romper espiritualmente con la colectividad para estar a la disposición de «el acogimiento de lo esencial», y así poder adjudicar y evaluar. He aquí la posición de Castellanos ante la literatura —juicios sumarios— que también da título a uno de sus libros.

Atreverse a estar sola es un acto consciente que requiere la ruptura o el distanciamiento del núcleo socioeducativo al cual la escritora pertenece y poner «en entredicho lo que ha heredado». Una escritora no es escritora «si no vuelve de revés las consignas que se le imponen; si no hurga más allá de lo que los tabúes permiten». La escritora «se aparta de la multitud, que nunca es humana, para buscar en cada uno su rostro de persona. No significa esto que el hombro sólo haya vuelto la espalda a los intereses, las esperanzas, los trabajos en que se empeña la comunidad, sino que participa en ellos de otro modo. Ni como un cómplice, ni como un encubridor, sino como un testigo, como un juez, y como un guía».[48] La escritora

> ha de formar su criterio no con los prejuicios de la muchedumbre ni con las verdades parciales de una secta, de un grupo, de una nación, ni con los convenencieros errores de una clase. Ha de descubrir ese criterio, a solas también, cuando su conciencia, libre (...) de las ataduras cotidianas, a salvo de las sujeciones que la vida práctica le impone, tiene acceso a la autenticidad.[49]

La soledad provee una distancia fértil de la colectividad que intere-

46 Castellanos, «El escritor y su público», en su colección de ensayos *Juicios* sumarios. Xalapa, Veracruz: Universidad Verecruzana, 1966, p. 405.
47 Panichas, p. 307.
48 Castellanos, *Juicios Sumarios*, p. 406.
49 Castellanos, *Juicios Sumarios*, p. 407.

sa a la escritora *a priori*, para repensar el contenido espiritual e interrelacional de nuevo. La soledad, que podría ser el punto débil del ser y forzarlo a rendirse, se convierte en poder para reentrar en diálogo a un nivel distinto con la misma comunidad. El propósito del trabajo literario es entablar diálogo con la comunidad, pues la literatura sólo es posible por medio de esa interacción. Teniendo en cuenta su contexto tercermundista, Castellanos observa que los escritores son marginados, y a menudo no pueden ejercer su profesión excepto bajo «el patrocinio del Estado o de las empresas y mecenazgos particulares».[50] El resultado es la autocensura o silencio crítico. Sin la independencia intelectual y económica, el acceso del escritor a la autenticidad se pone en cuestión. La independencia intelectual y económica, sin embargo, no son suficientes ya que sin lectores educados con quienes dialogar el escritor se estancia o se vuelve insustancial —una polémica fértil o influencia benéfica son imposibles.

El simbolismo de las «llamas» o el «fuego» para Gorostiza y para Castellanos proviene de Heráclito. Gorostiza juega con la imagen heracliteana del fuego como elemento paradójicamente destructivo y creador; no obstante, Gorostiza pone el énfasis sobre la futilidad de la vida y de la conciencia creativa. Gorostiza se concentra casi exclusivamente en el fuego, que «pone de manifiesto lo percedero de las cosas, su relación última».[51] Castellanos se detiene en las propiedades transformadoras del fuego y su conexión con el *logos* circundante, que también es parte de los heracliteanos inherentes al fuego. Lo «perecedero de las cosas» no se ausenta de su trabajo, sino que es fuerza motivadora para utilizar el tiempo. Sin embargo, enfocarse sobre el devenir y su interrelación con lo circundante se hace desplazando «el ser» como esencia «eterna». Desde la perspectiva heracliteana, la noción del *logos* como fuego pone en evidencia, simultáneamente, la condición siempre en proceso de las cosas, su calidad perecedera y las conexiones con lo circundante, logrando la apertura del «todavía no», que a Castellanos sirve de umbral para la ontologización diferencial.[52]

---

50 Castellanos, *Juicios Sumarios*, p. 408.
51 Berezdivin, p. 83.
52 Berezdivin, p. 82.

En lo que concierne a la misión de la escritora, para Castellanos la soledad, en conjunción con el ejercicio de la inteligencia, hace posible la observación de fenómenos complejos del ser humano y del mundo para descubrir, discernir y evaluar. En cierto sentido, estos son sus criterios para la escritura misma, la cual se distancia de la escritura guiada por la inspiración. La poesía objetiviza momentos que ponen en evidencia la existencia. Por eso sólo da por vivido lo redactado, lo captado por las palabras.

# Capítulo V

# POÉTICA DEL PLACER Y DEL DOLOR

Entre 1950 y 1958, Rosario Castellanos publicó *El rescate del mundo* (1952) y *Poemas 1953-1955* (1957). También escribió una obra dramática en verso de dos actos, *Vocación de Sor Juana*, y una serie de actos dramáticos titulados *Eva*, *Judith* y *Salomé*. *Salomé* se publicó por primera vez en 1952 y *Judith* en 1956. Los primeros se publicaron más tarde, en 1959, y finalmente fueron recogidos en *Poesía no eres tú*. Los otros dramas nunca han sido publicados. Otra pieza dramática, en prosa, que se publicó durante este período fue *Tablero de damas* (1952). *Tablero* es importante para la discusión de la poesía ya que la obra trata de la aspiración a ser escritoras de un grupo de jóvenes que se conocen al visitar a una poeta vieja, alusión a Gabriela Mistral. A la protagonista, que representa a Mistral, se le ve como esfinge en torno de la cual las jóvenes tratan de clarificar sus posiciones como escritoras. Las complejidades de cómo las mujeres se hacen escritoras y el por qué son de tanta importancia para Castellanos que años más tarde retoma la temática de *Tablero* en el cuento «Album de familia» (1972). Durante este período Castellanos también publicó su primera novela, *Balún-Canán* (1957), iniciando así su carrera en la narrativa. Aunque Castellanos no volvió a escribir obras dramáticas hasta la década de los setenta, sí practicó simultánea o alternativamente, todos los géneros literarios.

En su poesía escrita entre 1952 y 1958, Castellanos se percibe como ente enfrentándose a la vida de manera refrescante y nueva: «Yo ya no espero, vivo» (p. 81). La lucha anterior con la corriente cultural metafísi-

ca cristiana parece superada. Como resultado, Castellanos se siente libre
de ataduras que la forzarían a actualizar un destino femenino determinado. Durante este período, Castellanos escribe tres poemas que tratan sobre la relación del ser con la renovada aventura poética: «Silencio cerca
de una piedra atigua», de *El rescate del mundo*, «Misterios gozosos» y «El
resplandor del ser», de *Poemas*.

    «El resplandor del ser» representa la unión o boda de la hablante
con la palabra como acto supremo de amor. Sólo por medio de la colaboración del ser y la palabra se podrá alcanzar el conocimiento del silencio mismo:

> Sólo el silencio es sabio.
> Pero yo estoy labrando, como con cien abejas,
> un pequeño panal con mis palabras. (p. 88)

    Las palabras son como semillas forjadas por la inteligencia, agente
capaz de efectuar la unión entre la hablante y la poesía. «El resplandor
del ser» es el único poema concebido eróticamente de manera celebrado-
ra en el trabajo de Castellanos. Es un *pas de deux* en transformación
constante. La imagen anterior de *Dos poemas:* «En los labios del viento
he de llamarme / árbol de muchos pájaros», se modifica para localizar el
*locus* del poema: «Porque una palabra no es el pájaro / que vuela y huye
lejos. / Porque no es el árbol bien plantado» (p. 88). El pájaro, como
símbolo de los poemas, ocupa un sitio medio necesitado del viento (espíritu) y el árbol (naturaleza/cuerpo). Su cuerpo mismo es el sitio preemi-
nente para el conocimiento que, en interacción con el espíritu, liberará
su esencia:

> Lo supe con mi carne.
> Que la vida es la flor que entre sus dedos
> va deshojando el aire
> para dejar sin cárcel el perfume
> y sin dueño la miel temblorosa del cáliz. (p. 91)

    «El resplandor del ser» es una celebración de la armonía universal.
La unión espiritual con la palabra confiere un sentido de reconstitución
plena, que se experimenta como libertad de leyes físicas: «¿Alegría de ser

dos? En dos orillas / va el río, regalándose. / En dos alas el pájaro / sube al centro del aire» (p. 90).

En «Misterios gozosos» la hablante se representa en fuga de la «ley», se identifica con Caín, el verdadero hijo de Eva. En este poema la metáfora de la «Ley» es análoga a la anterior de «el libro»; ambos son signos que simbolizan la cosmovisión determinista de lo femenino con la cual ha estado en lucha. Caín y Eva, figuras bíblicas subversivas a la concepción metafísica de la existencia, especialmente porque la identificación de la hablante con ellas le permite permanecer arraigada al mundo, y seguir una autodefinición en un tiempo que empieza ahora. También asisten a la declaración: «heme aquí en los umbrales de la ley» (p. 87). Los «umbrales de la ley», con referencia al tiempo, son ese momento sin ayer ni mañana. El umbral de la hablante es el presente.

En estos poemas, la voluntad del amor reemplaza al amante con el poema. Así, el «amor perfecto» dentro del «momento perfecto» sólo es posible más allá o fuera de las relaciones humanas. De esta forma, «El resplandor del ser» reemplaza al amante como signo con el signo mismo; esto es, el amanto/amigo, quien tradicionalmente tal vez representó un nudo de relaciones significativas con el ser, ahora ha sido reemplazado o desplazado por el lenguaje, el instrumento confiado que de ahora en adelante descubrirá al ser. «Misterios gozosos» sustituye al signo materno, o reproducción biológica, con la producción de la poeta/poema mismo:

El que buscó mi mano
para cortar racimos,
deja mi mano suelta
sin fruto y sin anillo.

El que llamó a mi cuerpo
para nacer se calle.
No ponga en mi cintura
la guirnalda de madre. (p. 85)
(...)
Yo no le busco el rostro a esta maternidad
que colma las medidas. (p. 82)
(...)
El centro de la llama mi centro.

Aquí arder, aquí hablar
lo verdadero. (p. 87)

Castellanos reemplaza dos modos de asesorar la existencia femenina —lo erótico y lo materno— con la creatividad poética, la palabra. Es una tentativa simbólica de apropiarse y redefinir a los términos para sí. Castellanos quiere poseerlos, no como metáforas que inscriben a la existencia femenina, sino como metáforas para la producción del texto literario. De esta manera, ella puede efectuar el rescate crítico de sí misma como signo entre signos en el orden simbólico metafísico y, otra vez, volverse «llamas», lucidez.

El reconocimiento de Castellanos de su apropiación de la palabra para sí contribuye a su pronunciamiento: «Heme aquí en los umbrales de la ley». Y es como autoreconocimiento que el presente se entiende como el «milagro del ser», «como en el centro puro de un diamante» (p. 89).. «El resplandor del ser» y «Misterios gozosos» representan vuelos líricos que Castellanos nunca más ensayará. Más tarde su «lírica» serán monólogos graves; no obstante, la mayoría de momentos de apertura están inscritos en un contexto narrativo más extenso. Castellanos no confiaba en el idioma lírico heredado para la representación de lo femenino y le era necesario narrar para controlar el lenguaje.

La desconfianza en el lenguaje la lleva a afirmar en «Silencio cerca de una piedra antigua», que no sabe «más que ciertas palabras / en que idioma o lápida / bajo el que sepultaron vivo a mi antepasado» (p. 61). En la tentativa por reconstruir su mundo, y reconciliarse a sí misma, se siente lingüísticamente empobrecida. Al tomar su lugar en las márgenes de la «ley» y al cerrar el «libro», la poeta, como ente femenino, descubre su filiación análoga a la de las razas destruidas cuyo sentido de sí mismas y de su existencia ha sido empobrecido por la imposición de un lenguaje cuyo efecto neto fue borrar modos del conocimiento propio. El autoconocimiento tendrá que efectuarse mediante la manipulación del lenguaje circundante. El poema refleja su deseo de ayudar a esas razas a recobrar el lenguaje, pero se siente incapaz:

De las bocas destruidas
quiere subir hasta mi boca un canto,

un olor de resinas quemadas, algún gesto
de misteriosa rosa trabajada. (p. 61).

Su impotencia no es sólo lingüística. Su filiación con la subversiva
Eva la hace sentirse no sólo responsable por «los fragmentos / de mis
dioses antiguos derribados» (p. 61) que desean reconstruirse por medio
de ella, sino que se niega a ver sus «templos sumergidos» y en su lugar
observa «los árboles que encima de las ruinas / mueven su vasta sombra,
muerden con dientes ácidos / el viento cuando pasa» (p. 61). La estrategia poética en Castellanos se repite. Reconstruye encima de lo antiguo.
El rescate del mundo se efectúa desde las ruinas, prestando atención
intensa a nuestras relaciones —«pero yo sé: detrás de mi cuerpo otro
cuerpo se agazapa» (p. 61). En su posición, representada por figuras simbólicas y metáforas claves, la «solución» para lo femenino es invariable-
mente reconstruir, no las ruinas, sino desde las ruinas, nombrando las
relaciones de nuevo desde el momento presente de la conciencia crítica,
no obstante la inmadurez del lenguaje, o su escasez. Esos momentos de
concientización sirven al presente para desplazar el determinismo te-
mido.

Por medio de la apropiación de lo erótico y de lo materno, como
metáforas de la unión del ser y la palabra/amante y el ser y el po-
ema/madre, Castellanos rescata a la literatura para sí. En cierto sentido,
antes de que la escritura se empiece, o al menos simultáneamente con
ella, Castellanos, la poeta, efectúa la apropiación y redefine el *locus* desde
el cual hablará («heme aquí en los umbrales de la ley»), al margen de un
sistema de valores con referencia a lo femenino. Las metáforas que Castellanos elige para representar nuevas maneras de hablar son la piedra,
símbolo del silencio, sobre la cual la palabra obrará y esculpirá el artefac-
to, y el pájaro, la construcción completa que mediatiza la relación ár-
bol/naturaleza y viento/espíritu. Sin embargo, no es la paloma kantiana,
representativa del vuelo del espíritu puro, divorciada de la materia. En
su lugar, Castellanos toma parte en la operación filosófica que decons-
truye las estructuras metafórico-conceptuales para reconstruir críticamente lo femenino. Dado el hecho de que la socialización (vida) puede
ser confundida con la estética (arte) —o sea, el ámbito simbólico se re-
produce en los entes sociales— en el sujeto femenino, se ve forzada a ha-

cer la distinción entre el ser femenino emergente y las antiguas representaciones estético-filosóficas. El ser nuevo, la que se entiende como hija de sí misma y producto de su sueño en «De la vigilia estéril», empieza a hablar, y el «habré dicho» adquiere forma.

Gilbert y Gubar afirman en su elaboración de una poética feminista que la escritora, «Para autodefinirse como autora... tiene que redefinir los términos de su socialización. Así su batalla revisionaria se transforma en una lucha por lo que Adrienne Rich ha llamado "Revisión" —el arte de retrovisión... de compenetrar un viejo texto desde una nueva dirección crítica... un acto de sobrevivencia».[1] Las segunda etapa en la poética de Castellanos sobrepasa lo que Gilbert y Gubar entienden como la redefinición de «los términos de su socialización». Los libros anteriores de Castellanos toman en cuenta la socialización contra la cual lucha; además, esa socialización se percibe también como parte de la dimensión textual. Dada la posibilidad que lo social y lo textual puedan parecer uno para la aprehensión de lo femenino, Castellanos trata de redefinir los términos de su socialización de manera tal que pueda sacar una estética de la diferencia. Al distanciarse como escritora de las metáforas de lo erótico y lo maternal, y parafraseando a Gilbert y Gubar, hace de la experiencia sociotextual de la metáfora una metáfora para la experiencia de la diferencia misma.[2] Ya que Gilbert y Gubar usan a la escritora del siglo XIX para sus formulaciones teóricas, observan que «Su batalla, sin embargo, no se hace en oposición a la lectura del mundo de sus precursores (masculinos), sino en oposición a su lectura de ELLA».[3] Si esta perspectiva es adecuada para la escritora del siglo XIX, en el caso de Castellanos, y tal vez en el de otras escritoras del siglo XX, la batalla es doble, ya que se oponen simultáneamente a la «lectura de ella» y la «lectura del mundo». Por ejemplo, en el mismo grado en que Mistral se compromete a luchar contra Goethe, ella combate su representación de lo femenino al ofrecer una alternativa. Sin embargo, dado que Mistral lucha contra un arquetipo con otro, el proceso permanece inscrito en una lucha del ideal supremo contra otro ideal supremo. Desde este punto de

---

1 Sandra M. Gilbert y Susan Gubar, *The Madwoman in the Attic: The Woman Writer and the Nineteenth-Century Imagination*. New Haven: Yale University Press, 1979, p. 49.
2 Gilbert y Gubar, p. XIII.
3 Gilbert y Gubar, p. 49.

vista, Castellanos trata de anular o negar a Mistral, y así obra de manera diferente a la escritora del siglo XIX a quien Gilbert y Gubar protagonizan como una que empieza «la batalla buscando activamente a una precursora que lejos de representar una fuerza amenazante que debe negarse o aniquilarse, demuestra que la rebelión contra la autoridad literaria patriarcal es posible».[4] Así, la relación de Castellanos con Mistral es paradójicamente doble: por un lado, la fundación de la poética de la maternidad se niega; por otro, se le posibilita, como ganadora del Premio Nobel y voz influyente, la reclamación de autoridad literaria, y tratar de redefinir los límites sociales y estéticos. Aunque *Tablero de damas* (1952) y su reescritura, «Album de familia» (1972), son una tentativa de desacreditar la poética mistraliana, también es homenaje invertido a una antagonista formidable. En efecto, Mistral surge como una antagonista más formidable que un poeta varón, precisamente porque ambas, ella y Castellanos, tienen un fin semejante —la topografía de lo femenino. Al trabajar las relaciones paradójicas, Castellanos se sitúa dentro y fuera del paradigma ontológico.

La preocupación mayor de Castellanos desde el principio de su carrera y a través de este período son los límites que el contrato maternal simbólico y cultural imponen a la imaginación de la poeta. Temía que una identificación del ser contingente con lo erótico o con lo materno reducía las posibilidades para imaginar del ser femenino y, consecuentemente, le impediría proyectarse hacia un espacio más amplio por medio de la aventura poética. Desde 1950, en *Sobre cultura femenina*, Castellanos ya había afirmado el deseo (como se dijo en capítulo III) de hacer «emerger a la superficie consciente» lo que los conceptos/metáforas usuales no revelan.[5]

Para hacer emerger al ser femenino a diferencia de la ontología femenina recibida le es necesario a Castellanos escribir una serie de poemas que definan su relación con la aventura poética. Castellanos estaba convencida que la escritura de las mujeres tendía a ser superficial, de que sus esfuerzos se identificaban demasiado con los conceptos y metáforas

4 Gilbert y Gubar, p. 49.
5 Castellanos, *Sobre cultura femenina*. México: Revista Antológica, Ediciones de América, 1950, p. 97.

creados por los hombres. Como resultado, estos poemas son maneras de
distanciarse de esos conceptos/metáforas, especialmente de lo erótico y
lo materno. Al distanciarse y confrontar el pasado y el presente como silencio petrificado necesitados de la palabra, Castellanos efectúa, como
poeta, una separación por medio del lenguaje. En cierto sentido, sin embargo, la separación del lenguaje a través del lenguaje mismo resulta en
una metapoesía que se vuelve operación estética-textual e intelectual para la poeta, cuyo YO personal no sólo está al margen de las figuras cre-
adas, sino también de las vistas críticamente. Esto es, desde una distancia
que descubra el significado diferente de los heredados desde el margen
de la diferencia. De tal manera, algunos de los poemas, simultáneos o
posteriores a «Silencio cerca de una piedra antigua», «Misterios gozosos»
y «El resplandor del ser» son reinscripciones revisionistas de figuras femeninas sobresalientes como Eva, Salomé, Judith y Dido.

Para objetivar, proyectar y abstraer lo que no es una misma y simultáneamente hacer a un lado las «imágenes convencionales de la feminidad» que nos dan los hombres, Castellanos hace uso, paradójicamente,
de figuras convencionales, mitificadas por las tradiciones bíblicas y literarias. Esas figuras, Judith, Salomé, Dido y Eva, que parecían ser arquetí-
picas, son traspuestas, con diferentes grados de especificidad a un espacio
histórico que hace de ellas un paradigma diferenciado de la ontología femenina. Cada una de estas figuras descubre un eje del conocimiento que
formula una apertura transformativa sobre el ser y su entendimiento de
la realidad cotidiana y contingente.

Para Castellanos, el proceso mitificador es acumulativo, y «alcanza
a cubrir sus invenciones de una densidad opaca; las aloja en niveles tan
profundos de la conciencia y en estratos tan remotos del pasado que im-
pide la contemplación libre y directa del objeto, el conocimiento claro
del ser al que ha sustituido y usurpado».[6] Recordar figuras como Salomé,
Judith, Dido y Eva es, en efecto, evocar no sólo los prototipos como se
representan en la Biblia y Virgilio, sino el panteón de escritores que han
trabajado sobre esas figuras, pero cuya significación se vuelve monótona.
Estas figuras se representan a menudo como agentes sexuales, provoca-
doras temibles, con escepción de las que pueden justificar su rol provoca-

---

6 Castellanos, *Mujer que sabe latín...* México: SepSetentas, 1973, p. 7.

tivo, como Judith, que salva a su pueblo, o atractivas, como Dido, teniendo en cuenta el resultado patético de sus acciones. ¿Cómo puede una «escritora tardía», para usar el término de Bloom, percibir a estas figuras libre y directamente, de manera que su apreciación difiera de la convencional, para que en lo sucesivo su significación monótona se altere?

Si, por un lado, Castellanos se dirige a la redefinición para sí de términos categóricos como poesía, naturaleza, muerte, amor y reproducción, por otro, desde una posición fuera de la «ley», ejecuta un acto de reinscripción, al proyectarse sobre figuras que representan, como sujetos epistemológicos, una variedad de modos de ser y devenir. La reinscripción de Salomé y Judith hecha por Castellanos en los poemas dramáticos, saca a estas mujeres de su ambiente bíblico y las coloca de manera brechtiana en México en períodos políticos turbulentos. A Salomé se le representa como ladina de Chiapas asociada a una rebelión de los indígenas chamulas. Judith se ve envuelta en la Revolución Mexicana. Se nos exige a la vez excavar en los «estratos remotos del pasado», donde se originan estas figuras y captar de nuevo, por el devenir de eventos históricos más próximos, a las fuerzas que rodean a estas mujeres. El proceso ontológico acumulativo ha aprisionado nuestra visión de tal manera que en general tendemos a percibir los eventos en el *Nuevo* y en en el *Viejo Testamento* por medio del patriarcado. Para esos narradores, Salomé y Judith están o contra el profeta de Dios o a su favor. Y es desde esta perspectiva que se merecen un episodio o libro en la Biblia.

Desde otra perspectiva, estas dos figuras comparten la juventud, belleza y erotismo virginal empleados para decapitar a dos hombres, Juan el Bautista y Holofernes —el primero amigo del pueblo, el otro su enemigo. Las colectividades y sus propósitos teopolíticos son el enfoque de la narración. El episodio que ha atraído a numerosos poetas varones es el que combina la violencia y el erotismo. Lope de Vega, por ejemplo, escribe un soneto sobre Holofernes y Judith reclinados sobre la cama donde ella ha de decapitarlo. Ya que Judith sólo lleva a cabo el mandamiento de Dios, su dimensión espiritual no presenta problemas, es escogida por Dios y por tanto se deviene instrumento del pueblo. Para Rubén Darío, Salomé también es una figura que combina la violencia y el erotismo, pero es problemática porque la motivación para decapitar a Juan el Bautista no es transparente. En el poema de Darío, once de sus doce ver-

sos narran la violencia y la sexualidad; pero, el último contrapone el
«enigma espiritual» que ella representa al «efluvio carnal»:

> En el país de las Alegorías
> Salomé siempre danza,
> ante el tiarado Herodes
> eternamente;
> y la cabeza de Juan el Bautista,
> ante quien tiemblan los leones,
> cae al hachazo. Sangre llueve.
> Pues la rosa sexual
> al entreabrirse
> conmueve todo lo que existe,
> con su efluvio carnal
> y con su enigma espiritual.[7]

Darío, como poeta del cuerpo femenino que huye de lo que Monsiváis
ha llamado el «aborde litúrgico a la sexualidad» y al «pudor histórico»,
usa a Salomé para exponer y atacar la moralidad sexual hispánica («En el
país de las Alegorías... / tiemblan los leones»). Así, el cuerpo femenino
se representa como el laboratorio de la imaginación para romper con las
convenciones culturales. Darío revela lo que Monsiváis llama, con referencia al campo cultural y poético, «alianza del León y la Virgen».[8] En
las palabras de Darío, Salomé es un arquetipo («danza... eternamente»),
equivalente a «la rosa sexual»; por implicación se contrapone a «la rosa
mística», pero permanece como un enigma espiritual.

Haciendo a un lado las consideraciones estrictamente eróticas, de
hecho, lo que Castellanos desea exponer es el enigma espiritual que per-
sigue a Salomé y a Judith. Más que un «efluvio carnal» perturba a la existencia. Esto es, la sexualidad de Salomé no está necesariamente separada
de consideraciones familiares que son históricas, ni de una relación textual que identifica al amor con la trascendencia. En el contexto de un
pueblo destrozado por luchas entre ladinos y chamulas, estableciendo un
paralelo entre los usurpadores romanos y el rebelde pueblo oprimido, la

---

7 Rubén Darío, *Poesías completas.* Madrid: Aguilar, 1968, p. 673.
8 Carlos Monsiváis, *La poesía mexicana del siglo XX.* México: Empresas Editoriales,
S.A., 1966, p. 9.

Salomé de Castellanos se escoge a sí misma y a un sentido ético que ella sitúa ginocéntricamente, equilibrando así el balance de la manera en que se ha entendido a esta figura.

Según San Marcos, Salomé es una joven obediente y leal a su madre, Herodías. Juan el Bautista es prisionero político de Herodes y goza de popularidad entre el pueblo, pero también ha cuestionado la moral de Herodes y su matrimonio con Herodías, ya que ésta había sido esposa de su hermano, o sea, cuñada de Herodes. En la narrativa, Herodías, y por extensión su obediente hija, son representadas como traidoras y no se dan justificaciones ni explicaciones del por qué actuarían de tal manera. Al contrario, Juan es visto como el héroe y Herodes con simpatía dado su dolor, su reconocimiento de que Juan es un «hombre santo» y su dilema real al haber dado su palabra. Esto último tiene fuertes raíces en el *ethos* cultural y en lo que en el folklore se conoce como «la promesa irrevocable del Rey».[9] Más allá de esta especificidad histórica que crea un ambiente alienante para Salomé y llama la atención a lo literario del texto, Castellanos extiende las características cualificadoras de Salomé y su madre, las relaciones entre ellas y el mundo más allá de su puerta. En breve, las provee de caracterización, son más que traidoras del pueblo.

En el texto de Castellanos, inicialmente se percibe a Salomé desde el punto de vista de su madre. Esta la ve como superficie aguacristal, en cuya figura juvenil «como el pino», el pueblo descubre su propia belleza y salud. Para la madre, la hija es un símbolo de la inocencia. Además, la madre pide a los ángeles que preserven esta nueva ofrenda «como cera de altar como palma / bendita» (p. 123). El propósito de la madre es proteger a Salomé del mundo. Su propia y amarga experiencia la ha llevado a ver a Salomé como su único tesoro, su única consolación en un ambiente hostil: «Yo me alzaré ante el mundo para que no te hiera, / yo me adelantaré a recoger los cardos / y apartaré las piedras» (p. 127). La madre quiere que Salomé aprenda de su experiencia y confíe en ella; además, promete crear un mundo diferente al que ella conoció al nacer:

No temas, Salomé. No tengo para ti
esta ciudad de procesiones lentas,

---

9 Standard Dictionary of Folklore. New York: Funk and Wagnalls, 1972, p. 494.

de campanarios desolados y
de sombrías iglesias.
Yo te daré un puerto con navíos
y un cielo sin fronteras., (p. 127)

No queda claro lo que es la ofrenda de un «cielo sin fronteras» para contrarrestar la monotonía sombría más allá de una libertad ilimitada. No obstante, sí queda en limpio que la extensión visionaria será ascética. En contrapunto a su representación de Salomé como superficie de agua cristalina en cuyo espejo se contemplará la belleza, tal vez su propia proyección, la madre se ve a sí misma como «congelado espejo» dada su violenta experiencia sexual en manos del padre de Salomé. La madre quiere que Salomé conserve lo que ella no pudo conservar —pureza biopsíquica. Su desilusión con la noción del amor, física y psicológicamente, la impulsa a proteger a Salomé de la repetición de su experiencia en el mundo cultural que la madre conoce. Trata de hacer esto al aislar a Salomé de los otros. La casa de la madre es un espejo y un recuerdo de su sufrimiento y sueños violados; de tal manera, Salomé es la esperanza por medio de la cual ella puede revivir los sueños de su juventud. Si Salomé presta atención a su advertencia, juntas crearán un mundo fantástico para las dos.

Así que la guerra se hace entre ladinos y chamulas, en el exterior de la casa; sueños de amor y libertad se tejen y destejen en el interior. La ironía inherente a la relación madre e hija es que la madre se niega a reconocer que la misma juventud que ella quiere proteger es la fuente del despertar sensual y sexual en Salomé. La situación hace que Salomé se sienta enterrada en una casa de amarguras y sofocada por el amor materno, no obstante sus buenas intenciones: «Tus abrazos me asfixian / ¡yo quiero respirar en las praderas!» (p. 117). El mismo desarrollo físico que la madre compara a los «pinos» en las «serranías», hace que Salomé sienta el deseo del amor y la pasión sexual, que ella entiende como búsqueda de libertad. La madre, horrorizada por la pasión de Salomé, la acusa de posesión demoníaca, y le advierte que ignora la cárcel de tal pasión. Hay una diferencia cualitativa en la manera de entender el amor entre madre e hija. Mientras que la madre sintió ser «ofrenda divina» a su esposo («Hubo llegar a él, fervorosa, exaltada, / como quien llega a un templo»), Salomé entiende su deseo como pasión aniquilante, un romanticismo más profano. Retomando la discusión anterior sobre el poema de Darío, la madre percibe la ofrenda de sí como «rosa mística», mientras que Salomé la entiende como «rosa sexual».

A la par que se intensifican las relaciones entre madre e hija, se encrespan las relaciones políticas entre ladinos y chamulas. Este conflicto —narrativa de trasfondo a la lucha entre madre e hija— les llega al interior de la casa cuando el líder de la rebelión chamula, a quien el padre de Salomé había encarcelado, se escapa. Salomé, cuya turbulencia sexual lleva curso paralelo al político, empieza a fantasear sobre el prófugo. Su rebelión contra el padre le parece similar a la suya contra la madre; además, él es exótico en su diferencia racial. También su fuga de la prisión política del padre le hace pensar que él puede rescatarla de su prisión doméstica:

Yo estoy aquí en alcobas que ninguno
traspasa
y recorro vestíbulos
en vano destrenzada.
¡Cuántas veces mis ansias se estrellaron
ante un balcón de rejas intrincadas!
El se iba como el viento que no vuelve.
Y yo me quedaré como la hoja
caída, abandonada.
No adivinó mi fiebre ni mi angustia,
no me vio encadenada. (p. 132)

Una vez más, Castellanos emplea el motivo simbólico del viento/árbol/hoja para significar la percepción tradicional de la mujer como naturaleza, y del hombre como viento/espíritu, contraste que Salomé expresa en este momento. Salomé está convencida de que el prófugo era el que se «asomaba / en los augurios» (p. 132). Es su destino. Salomé lo ve como ser «en... que se realizan los designios ocultos...», que se cumplirán «en la noche, igual / que un capullo secreto» (p. 133). El la ayudará en su propia transfiguración. De modo que Salomé, en su autoengaño, persiste en su visión cada vez más confusa del mundo, aceptando a un prisionero político como su salvador erótico, semejante a Cristo, a quien ella ha esperado toda su vida. Sin darse cuenta, corre el riesgo de volverse la víctima de una trampa oscura y cósmica. La identificación de Salomé con una cosmovisión del amor es equivalente a la libertad, no concuerda con su realidad histórica. La simplicidad de su confusión se revela cuando ella habla con él al refugiarse éste en su casa. Ella lo protege de su padre, el enemigo. Salomé exige que él sepa quién es ella. Es obvio que a él no se le revelaron los «designios ocultos» como a ella. No obstante, su preocupación es el peligro que él corre, la de ella su lugar en la vida de él, que se desenvuelve fuera de la casa del padre. Ignorante de su realidad y circunstancia, Salomé le cuenta su fantasía:

Pero ya estás aquí. Y hablar contigo
es como ir de paseo por el campo.
De golpe me devuelven
lo que me habían robado:
los árboles atentos,
las ovejas pastando
y esa música dulce del crepúsculo
y sin límites, anchos, los sembrados. (p. 136)

Salomé se imagina una felicidad bucólica con él, de la forma en que la ha concebido. El decide alentarla en su alucinación y aún más cuando se da cuenta de que la madre bloqueará su fuga. En cierto sentido, para ambos —la madre y el prófugo— Salomé es «moneda única que valía entre mis manos» (p. 140). Cuando la madre obstaculiza la fuga, él la golpea, poniendo en claro que Salomé es rehén tanto de la madre como de él. El descubrimiento o eje momentáneo de reconocimiento, hace que Salomé lo compare a su padre. Al nivel de desilusión y violencia, la madre y Salomé son rehenes tanto del padre como del otro hombre. En este momento Salomé lo denuncia a su padre, porque él no es la promesa que ella esperaba, es un doble monstruoso del padre. El no cambiará el orden de las cosas ni cumplirá el contrato simbólico del amor. El único futuro para Salomé es volverse figura paradigmática cuya experiencia y sus lecciones tal vez rescaten a otras mujeres de su prisión. Mediante el distanciamiento dramático, Salomé se objetiviza, «la acción de Salomé / os abrió una cancela» (p. 142). Así como la Salomé bíblica se vuelve objeto literario, medio para que la imaginación masculina proyecte su representación, la Salomé moderna también se vuelve objeto literario, medio para que lo femenino se reconozca simultáneamente dentro y fuera de sí misma:

> Yo he restaurado hoy el equilibrio
> de la balanza.
> Yo me reconocí, más allá de mi dicha,
> heredera de la mitad oscura
> del mundo, confinada
> en la mitad sombría de la casa. (p. 142)

Al asegurarse como paradigma del reconocimiento de la mitad del mundo que hereda y que acepta ahora a nivel consciente, Salomé también llama la atención sobre la noción de que la naturaleza de su deseo se refiere a algo más que a una simple satisfacción erótica. Su entendimiento de que ella puede ser sólo rehén para la otra mitad del mundo, la lleva a declarar que su cuerpo, como el de él, pide descanso, pide muerte:

> ¡Mi cuerpo, como el suyo, reclama su descanso!
> Yo no iré más allá de lo que fueron
> sus pasos.
> Pido mi sepultura
> y mi sudario. (p. 142)

Se presupuesta y enigmática naturaleza sexual, que ella pensó podía ser liberada por el amor, la atrapa. Una naturaleza en que su madre no puede más que contemplarse y consecuentemente tratar de protegerla. Para Salomé, quien se transforma autoconscientemente, la locura se vuelve la liberación de la galería de espejos, de la repetición que la encierra. El trauma de reconocer su situación la incapacita para sí, pero espera que su autosacrificio, que ahora es cualitativamente diferente del «aniquilamiento del amor», ayudará a otras a buscar la libertad en otros lugares. La ha vengado por medio del reconocimiento suyo:

> Madre, mujeres todas que antes de mí y conmigo
> soportasteis un yugo e humillación, bebisteis
> un vaso inicuo, ¡estáis en mí vengadas!

Yo he rescatado vuestra esclavitud
al precio de mis lágrimas. (p. 41)

La «traición» del hombre por Salomé es un rechazo a hacerse víctima de
la víctima, que doblaría el sofocamiento vital. Al devolverlo a las masas
que lo quieren matar, se le sacrifica paralelamente. En este sentido, ella
devuelve «el equilibrio a la balanza». El sentido de la opresión y el de
ella debían de haberlos reconciliado en alguna alianza, pero el lenguaje
que cada uno emplea para sus propósitos —el de ella el del amor y el de
él el de la violencia— se contradicen. Salomé reconstituye «el equilibrio
de la balanza» de otra manera también —al objetivarse a sí misma y su
acción, se transforma en un nivel paradigmático que, cultural y literaria-
mente, siempre ha correspondido a Juan el Bautista, semejante a Cristo,
o al hombre indígena. Al recobrarse el balance, sin embargo, no se refiere a la justicia jurídica, sino a la serie de significados que ellos representan —él y ella están simbólicamente aliados como víctimas del sacrificio
de la autoridad violenta del padre, que permanece ausente del drama, pero cuya presencia es importante. Cada uno tiene su propia mitad oscura
del mundo. Salomé también ha revelado que la condenación de él es más
pública, la de ella doméstica, encubierta tras la puerta.

El descubrimiento que Salomé quiere enfatizar para sí y las otras es
el vacío que divide su modo de ser del modo del padre (ausente) y del
hombre (presente). Ella pudo ver más allá de su felicidad personal y reconocer que es heredera de la mitad oscura del mundo. Ni el amor ni el
deseo erótico le otorgarán «praderas» sin límites, ni la ayudarán a ver el
sol («yo quiere ver el sol» [p. 127]). El hombre es un impostor, un doble
del padre y del que se espera. En busca de su libertad política, no es a Salomé a la que quiere, sino a un rehén por medio del cual podrá liberarse
de la prisión y opresión de su enemigo. La situación le clarifica a ella que
siendo de él cambiaría una prisión por otra. El reconocimiento de que
no existe el salvador explica la denuncia del hombre al padre, lo cual no
implica necesariamente que ella esté aliada con el padre o su autoridad.
Era la aparente diferencia del hombre lo que la llevó a pensar que él no
era semejante a su padre. De hecho, su rebelión contra el padre era paralela a la rebelión de ella contra su modo de existir. Como «mártir» en
busca de un nuevo orden que transforme los valores, el sacrificio de él es

diferente cualitativamente del sacrificio de «el aniquilamiento del amor». Mientras que el sacrificio de él parece conectado a un orden histórico-político, el de ella se vincula a un orden ontológico cultural que se inserta en la mitad oscura de la casa. Como resultado, Salomé se percibe como la salvadora simbólica de las mujeres en un mundo futuro. La transfiguración de Salomé es como contraprofeta (a Juan el Bautista). Mientras que la reinscripción de su experiencia otorga a otros el beneficio de la profecía, su sufrimiento personal está inextricablemente unido a las raíces que la estrangulan. Emerge a la superficie el drama prototípico de los orígenes mítico-ontológicos, Eva atrapada en el antagonismo primordial entre la autoridad del padre y su doble.

Judith, llamada a salvar a un grupo de otro, se niega a actuar violentamente y se transforma en símbolo de verdadera caridad. Como resultado, está condenada:

> Y Judith, la soberbia que desdeñó la gracia,
> la que apartó la copa de elección de sus labios,
> se quedará, olvidada,
> como una tierra llena de sepulcros. (p. 167)

La noción del amor como pasión se revela más y más en el trabajo de Rosario Castellanos como fuerza que no tiene sitio en el mundo. Al aceptar el reconocimiento de Salomé (su herencia como la mitad oscura del mundo), prolonga esa representación haciéndola metáfora para sí y la permanencia de una invertida «Noche oscura del alma».

«Eclipse total» es el monólogo dramático de una mujer que habla desde los umbrales de la muerte, una muerte que acepta y desea. La transfiguración de la muerte la transportaría a un nuevo orden distinto del deseado por los amantes prototípicos del romance medieval o de la Francesca de Rimini de Dante, quien lastimosamente dice: «he that may / never from me be separated more / all trembling kissed my mouth...»[10]

La narradora poética, que trasciende varios niveles temporales, descubre que la falla de la identificación se debe a su primordial identidad

---

10 Paolo Milano, ed. e introd., Laurence Binyon, trad., *The Portable Dante*. New York: The Viking Press, 1958, p. 30.

con Eva, el punto de referencia contingente implícito. El mundo la llama desde el umbral de la muerte, haciéndola repetir su narración de nuevo:

> ¡Otra vez el estruendo reventando en mi oreja!
> Me sacude el oleaje en que respira
> como un gran animal, furioso, el mundo.
> Hierven todas las cosas. (pp. 76-77)

La recuperación de su identidad ha requerido una jornada por «la mitad oscura del mundo». Pero, en todo caso, el proceso no es uno que interese al mundo, porque el proceso mismo la separa de él por medio del reconocimiento:

> Cómplice mío, cubre tu corazón y unge
> de sordera tu oreja.
> Esta música espesa que es el mundo
> chorrea en el vacío
> mientras un ojo inexorable mira.
> El viento, que sacude el árbol cuando quiere
> arrancarle su fruto,
> ya no se acerca a mí con manos de deshojo. (p. 79)

El antiguo amante/cómplice es advertido, con gesto protector, a no escuchar el «mundanal ruido», y simultáneamente llama atención al nuevo sentido de ser. Un ser/árbol cuya reciente esterilidad le protege del viento. El viento, en este instante, puede verse como espíritu masculino que ha agotado su función de nombrar por medio de ella como naturaleza. Esencialmente, su naturaleza, junto con su generosidad amorosa, ha sido socavada de tal manera que ya no queda nada que dar sino el testimonio de la violencia:

> En su fecha cedí al Rondador el peso
> con que el amor se inclina hacia la tierra
> y se asomó en los nombres
> que en mí la primavera pronunciaba.
>
> Ahora no sostengo más testimonio que éste,

cruel, de la madera desnuda en la que sólo
el hachazo penetra. (p. 79)

Al desarrollarse la narrativa descubre el agotamiento del cuerpo
con respecto a sus conexiones con la naturaleza. Es decir, la correlación
metafórica entre el cuerpo y la naturaleza que primero surgió con la ontoteología del jardín edénico, ha caducado. La crueldad de la muerte y la
separación es la única posición que le queda para enunciar el discurso
—de ella y del cómplice. La dimensión temporal se proyecta doblemente. La perspectiva autobiográfica de un presente situado entre el pasado y
el futuro se entreteje con un trasforndo simbólico temporal que continúa regresando hasta los niveles más remotos de la ontología femenina.
Así que se llega al origen simbólico, la narradora emerge después de un
círculo completo al umbral de la muerte, el margen contingente. Al
abordar este momento climático, el poema se cierra con una corriente
alterna rápida entre el entonces y el ahora. En ese momento, la narradora cierra los ojos, borra el mundo y consiente en morir:

> Bastaba ver el ámbito vacío
> no atravesado nunca
> por un vuelo.
>
> La fuerza oscura que nos pide muerte
> trabaja en mí, me llama
> con silencio de pez entre mis venas.
>
> Cierro los ojos y se borra el mundo.
>
> Los árboles atentos, la luz en la que amé,
> la piedra que quería decir algo
> con su lengua torpísima,
> huyen, como el reflejo huye en el agua.
>
> Mi corazón, vestido de su otoño,
> como una hoja amarillenta, cae.
>
> Y yo abro las manos. Y consiento. (p. 80)

La muerte, el mal y la violencia constituyen el mundo que este discurso amoroso ilumina. La cara verdadera del amor es la luz cuyos poderes transformativos cobran parentesco con el fuego. No obstante, los encuentros con el amor han tomado lugar en la mitad oscura del mundo:

> Entré en una región donde el ala no vuela,
> al dominio de un dios solitario y nocturno,
> a la órbita de un astro ya eclipsado.
> (...)
> No fue la luz el sello de nuestro pacto. (pp. 77-78)

La «patria» verdadera es la muerte. En el silencio que rodea la aprehensión de la muerte, los amantes malencaminados pueden dialogar. El ruido del mundo, su enemistad al amor desplazan el lenguaje de los amantes; así sus palabras llevan propósitos entrecruzados:

> Nuestra patria es la muerte. Sólo allí
> la hiedra reclinada sobre el árbol.
> En el ruido del mundo
> tu palabra y la mía no se hallaron.
> Pero en aquel silencio
> el diálogo. (p. 78)

La tentativa de apropiarse y vivir la ontología amorosa va contra la marea de violencia y el ruido mundanal; los verdaderos orígenes de su identidad bloquean su actualización:

> Lengua de la mentira soy, mano del crimen.
> En mí aprende
> su color la vergüenza.
> Como piedra colérica lanzo mi corazón,
> quebrando en mil pedazos el espejo del mundo
> para mirar mil veces el rostro de mi culpa.
> Porque presté mi carne
> para que la traición tuviera forma
> y para que adquiriera volumen la vergüenza,
> estoy aquí, como la cautiva
> llevada a la presencia de su dueño
> y que al mostrar los pies descalzos, llora. (pp. 78-79)

La conexión del cuerpo femenino con Eva y el gran árbol la hacen prisionera del tiempo y del lenguaje. Su cuerpo ha sido secuestrado por un simbolismo ontológico que contribuye a la forma de la traición y la vergüenza y su mera lengua(je) da la mentira a otras enunciaciones. Su núcleo es «el espejo del mundo», o sea, el púlsar a través del cual otros entienden su propio ser. Como resultado, su espíritu y su cuerpo, ambos, son cautivos de la muerte, propietaria verdadera, la muerte, la identidad verídica. Si la poesía es en verdad, como observó San Agustín, «el espejo o *speculum* del mundo,[11] lanzar el corazón, de tal manea que coraje no se puede localizar e impulsa sus actos y su corazón/piedra, es descubrir la totalidad de una identidad llena de culpa que vuela en múltiples direcciones. Estas direcciones son intrapoéticas, y si hay una identidad que le es «esencial», ésa es la culpa, la mentira (lingüística), la vergüenza y la muerta, su dueña.

En «Eclipse total», poema que brilla de metáforas fundidas y cargas eléctricas, en que a cada paso se abre un corredor laberíntico de significados en potencia, Rosario Castellanos elige la muerte. La generosidad amorosa de la naturaleza, desde la cual se descubre el conocimiento, se transforma en «madera desnuda», por «un viento brutal de taladores», un espíritu implacablemente violento, hecho irracional por el hambre y la avaricia. Una meditación poética de «Lívida luz» (1960) aclara:

¿Qué hay más débil que un dios? Gime hambriento y husmea
la sangre de la víctima
y come sacrificios y busca las entrañas
de lo creado, para hundir en ellas
sus cien dientes rapaces.

(Un dios. O ciertos hombres que tienen un destino.)

Cada día amanece
y el mundo es nuevamente devorado. (p. 172)

El poema «Lamentación de Dido» es una reinscripción del episodio

---

11 Harold Bloom, «The Breaking of Form», en *Deconstruction and Criticism*, no eds. New York: Continuum, 1979, p. 25.

sobre Dido en el *Aeneas* de Virgilio. Ahora Dido cuenta su propia historia. En parte su historia (a través de la reinscripción poética de Castellanos) explica por qué su fama y sobrevivencia desplazan a su inventor y al héroe principal de la épica, Aeneas. Maude Bodkin ha observado que los «críticos se han sorprendido por la intensidad con que la pasión y el coraje no sancionados de Dido se afirma con la fidelidad al ideal patriarcal de su autor...».[12] Bodkin se irrita lo suficiente con Virgilio como autor y observa que Virgilio «se pone en reserva y no se actualiza a sí mismo» al condenar a Dido, porque como poeta traiciona «esas delicadas intuiciones y simpatías con toda forma de vida que se piensa constituir la sensibilidad femenina y quien acepta como inevitable el sistema masculino del pensamiento y la moralidad, anulando tal sensibilidad...»[13] O sea, Virgilio no desafía a la ontología femenina consabida y aprobada.

«Lamentación de Dido» de Castellanos no es un lamento, estrictamente, negando así la asociación del lamento con nociones de lo «femenino» como Bodkin y otros lo conciben. Las convenciones literarias afirman que un «lamento» (como género literario) es «una especie de poesía no narrativa, que surge de la tradición oral, expresando profundo dolor, pena o preocupación por la pérdida de una persona o a veces posición social».[14]

Además, parece surgir próximo a la poesía heroica. Formalmente, «Lamentación de Dido» es un poema narrativo que resume la naturaleza de su sobrevivencia heroica, en oposición binaria a la del héroe. En tanto que ésta es la «épica» del dolor, Castellanos invierte los valores formales feminizados.

En el centro del poema de Castellanos encontramos una contraépica a la del héroe de Virgilio. En «Lamentación de Dido» no es la pérdida de Aeneas lo que llama la atención de Dido, sino cómo la pérdida ilumina la verdadera naturaleza de su heroísmo. Respuesta a la pregunta, ¿qué representa el heroísmo? Su historia épica y paradigmática, la que previene su muerte, es su existencia simbólica como metáfora del dolor:

---

12 Maude Bodkin, *Archetypal Patterns in Poetry: Psychological Studies of Imagination.* New York: Oxford University Press, 1948, p. 187.

13 Bodkin, p. 203.

14 Alex Preminger, ed., *Princeton Encyclopedia of Poetry and Poetics.* Princeton: Princeton University Press, 1974, pp. 437.

Ah, sería preferible morir. Pero yo sé que para mí no hay muerte.
Porque el dolor —¿y qué otra cosa soy más que dolor?— me ha hecho
eterna. (p. 98)

No es el inframundo de Virgilio ni el de Dante el que ella habita, sino la
superficie de la tierra, y es aquí donde se enraiza la repetición de su biografía:

Destinos
como el mío se han pronunciado desde la antigüedad con palabras
hermosas y nobilísimas.
Mi cifra se grabó en la corteza del árbol enorme de las tradiciones.
Y cada primavera, cuando el árbol retoña,
es mi espíritu, no el viento sin historia, es mi espíritu el que estremece y el
que hace cantar su follaje. (p. 93)

El hecho de que Dido esté condenada a repetir su historia, en conjunción con la revolución de las estaciones, como comenta Girard, sirve de
«acompañamiento rítimico a los cambios que ocurren en las relaciones
humanas y tienen como eje la muerte de la víctima sacrificada».[15] Consecuentemente, el nexo ideológico petrifica a Dido en arquetipo. Es su
arquetipismo lo que hace de ella una víctima sacrificada, condenándola a
un significado congelado con parentesco a la muerte. La penetración de
Dido, por medio del donde la repetición y la distancia, es que ella es ambas, una historia y la que cuenta la historia, que es simultáneamente literatura y experiencia, objeto y sujeto. Como objeto, ella es el símbolo del
lamento tradicional, como sujeto lleva una vida destinada al sacrificio
para servir los intereses del héroe épico y de los dioses, «númenes favora-
bles» que trabajan para servirlo. Entre esos dioses por implicación está
Virgilio y su «fidelidad al ideal patriarcal».[16]

Como sujeto femenino, ha vivido una vida ritualizada que la vuelve «guardiana de las tumbas» y nutridora de naciones. Su vida doméstica
ritualizada le ofrece un parentesco más próximo a la enfermera/madre

15 René Girard, *Violence and the Sacred*, trad. Patrick Gregory. Baltimore: The John
Hopkins University Press, 1977, p. 255.
16 Bodkin, p. 216.

que al conquistador en figura de «náufrago», alusión a Cortés también,
Como tal, no puede dirigir el reino, que de cualquier manera ella no se
lo ganó por medio de la acción:

> Yo era lo que fui: mujer de investidura desproporcionada
>     con la flaqueza de su ánimo.
> Y, sentada a la sombra de solio inmerecido,
>     temblé bajo la púrpura igual que el agua tiembla bajo el légamo.
> Y para obedecer mandatos cuya imcomprensibilidad me sobrepasa recorrí
>     las baldosas de los pórticos con la balanza de la justicia entre mis ma-
>     nos. (pp. 93-94)

Dido es reina, no por derecho propio, sino por los esfuerzos del hermano avariento: «botín para mi hermano, el de la corva garra de gavilán»
(p. 93). Así, ella pasa sus días en obediencia ritual, como «potros doma-
dos... reconocedores de la querencia»:

> en el cumplimiento de las menudas tareas domésticas; en la celebración de
> los ritos cotidianos; en la asistencia a los solemnes acontecimientos civi-
> les. (p. 95)

En contrapunto a la monotonía de sus días, está su búsqueda del significado en la oscuridad de la noche, cuado su inteligencia puede extenderse,
tal vez alusión del «Primero Sueño» de Sor Juana:

> Esto era en el día. Durante la noche no la copa del festín, no la alegría de la
>     serenata, no el sueño deleitoso.
> Sino los ojos acechando en la oscuridad, la inteligencia batiendo la selva in-
>     trincada de los textos para cobrar la presa que huye entre las páginas.
> Y mis oídos, habituados a la ardua polémica de los mentores, llegaron a ser
>     más hábiles para distinguir el robusto sonido del oro
>     del estrépito estéril con que entrechocan los guijarros. (p. 94)

No obstante, ni los días ni las noches la preparan para enfrentar los aspectos exterminadores de la búsqueda del poder teopolítico en el cual el
amor y la compasión no retienen una ética independiente sino que el poder se nutre de ellos.

En tanto que Dido fue motivada por la «misericordia» al aceptar a

Aeneas como su huésped, él no la corresponde. La acusación se cierra con el verso lapidario que sigue:

> Quien lo hizo no es mi igual. Mi lenguaje se entronca con el de los inmoladores de sí mismos. (p. 95)

La desigualdad entre Dido y Aeneas se enraíza en algo más fundamental que la posición social. Se enraiza en el idioma mismo. Ya que no hay separación entre su ser y el idioma, ella está completamente dispuesta a destruirse a sí misma y, sin conciencia autorreflexiva, a traicionar sus propios intereses. Su idioma es el idioma de la anfitriona —Madre Naturaleza— cuya generosidad vital invita a su propia destrucción. Dido, como consolidadora de su historia, cuenta ésta en relación con una variedad de convenciones literarias, que se evocan en su manera de responderle a Aeneas. Su respuesta, entretejida con el idioma de «los inmoladores de sí mismos», es sucesivamente la de una Madre Naturaleza compasiva:

> Lo amé con mi ceguera de raíz, con mi soterramiento
> de raíz, con mi lenta fidelidad de raíz. (p. 96)

Pronuncia la respuesta de una figura femenina que experimenta el despertar erótico en una composición pastoral virgiliana:

> ... Era su mirada lo que así me
> cubría de florecimiento repentinos. Entonces
> yo fui capaz de poner la palma de mi mano, en
> signo de alianza, sobre la frente de la tierra.
> Y vi acercarse a mí, amistosas, las especies hostiles.
> Y vi también reducirse en número los astros. Y
> oí que el mundo tocaba su flauta de pastor. (p. 96)

También pronuncia la respuesta de una figura cuyo deseo sexual apasionado se consuma en un frenesí romántico —«cubrí mi rostro con la máscara nocturna del amante»— que debería aniquilar y transformar a ambos amantes contra o más allá de consideraciones teopolíticas o familiares.

Su vida, tanto como la de él, empieza a adquirir figuraciones alegóricas que se multiplican simétricamente en oposiciones binarias. La naturaleza, el erotismo, la pasión, todas las formas del amor, se encuentran en oposición mortal a la búsqueda heroica. Lo que Bodkin, como crítica literaria, afirmó titubeantemente —«... Dido puede expresar la pasión rebelde del amor rechazado por la vida social del hombre»—, Castellanos lo afirma crítica y poéticamente como predeterminación ontológica. En esta «simetría aterradora», Castellanos descubre el lado oscuro de la épica, el proceso de formaciones nacionales que hierve en todo el planeta: «nada detiene al viento». La Dido de Castellanos siente que su espíritu (la narración) revela la historia humana más verdaderamente que el héroe: «es mi espíritu, no el viento sin historia, es mi espíritu el que estremece y el que hace cantar su follaje» (p. 93). La inversión del lamento se cumple, el dolor (femenino) es la historia.

En este poema se revela también el horror de la simetría de lo bello, o sea, textos concebidos a través de oposiciones binarias que congelan y polarizan los significados, donde un símbolo adquiere su significado en oposición a otro desvalorizado. Textos cuya construcción se hace alrededor de nociones de lo femenino y lo masculino como la *Divina Comedia* y el *Fausto* de Goethe son evocados en «Lamentación de Dido». En estos textos las «heroínas» se representan como intérpretes e intermediarias entre el Padre divino y sus hijos humanos. Como comentan Gilbert y Gubar, su verdadera significación como la «más noble feminidad» se resume en la descripción de Makarie por Goethe:

> Ella (...) lleva una vida de casi pura contemplación en aislamiento considerable en la casa de campaña (...) Una vida sin eventos exteriores, una vida cuya historia no se puede contar porque no hay historia. Su existencia no es inútil. Al contrario (...) ella brilla como iluminación en un mundo oscuro (...) por medio de la cual otros viajeros, cuyas vidas sí tienen su historia, pueden guiar su camino (...) Ella es un Ideal, modelo de abnegación y presa del corazón.[17]

La historia de Dido, sin embargo, como lo sugiere Castellanos y no Virgilio, sirve para iluminar un desastre de proporciones cósmica e his-

---

17 Citado por Gilbert y Gubar, pp. 21-22.

tóricas: «Y convertida en antorcha yo no supe iluminar más que el desastre» (p. 97). Es el desastre de la búsqueda heroica donde las divinidades mismas están en lucha. Virgilio, claro, no suprime el conflicto divino, pero elimina sus posibilidades dramáticas teopolíticas y desacredita a su propia creación, Dido, al mostrarla en su posesión demoníaca y en su frenesí suicida:

Poor pitiful woman, untimely, burned by sudden madness.[18]

Su fin a deshora no es tanto referencia a su juventud, como a una existencia no sincronizada con los valores heroicos tal como los expresa Castellanos: «el cuchillo bajo el que se quebró mi cerviz era un hombre llamado Eneas» (p. 95). La transfiguración de la Dido virgiliana hecha por Castellanos en una metáfora iluminadora de los significados femeninos de la víctima sacrificada por «el poder y la gloria», hace de Dido/Aeneas una estrella binaria: un sistema de dos estrellas que giran atraídas por gravitación mutua. El lamento/épica de Dido, su «instante inminente», conserva al cielo altivo en trágico y perfecto equilibrio. Aquí la literatura produce más literatura a nivel algorítmico de significaciones y se nos introduce otra vez en el «Primero Sueño» de Sor Juan y en la «Muerte sin fin» de Gorostiza. Como poetas, su conciencia del arte y de la vida no los libera, sino que les revela la naturaleza de la prisión. Sor Juana en su «Primero Sueño» es como la Dido de Rosario Castellanos, «acechando en la oscuridad, la inteligencia batiendo la selva intrincada de los textos». Mas también es como Castellanos en sus propias apropiaciones intertextuales. La Dido de Castellanos incorpora el «secreto» poético de Gorostiza, la estrella binaria hecha de conciencia y naturaleza (aunque la naturaleza de Gorostiza corresponde al «frenesí de la muerte». En la medida en que la poeta Castellanos es Dido, va descubriendo una manera de ser que muchos poetas masculinos han evadido, esto es, a autorreflexionarse como sujeto que es, simultáneamente, conciencia (inteligencia) y naturaleza (cuerpo, materia). Los poetas, en general, abordan la naturaleza —para bien o para mal— mediatizada por el signo femenino. En

---

18 L.R. Lind, trad. e introd., *Aenid* de Virgilio. Bloomington: Indiana University Press, 1968, p. 81.

efecto, lo que Castellanos logra por medio de Dido es el entrecruzamiento de dos líneas (monológicas) del pensamiento poético y filosófico de Occidente, espíritu/hombre y naturaleza/mujer. Desde este punto de vista, Aeneas y lo heroico empequeñecen y el dolor de Dido se puede revelar como abarcando las dos estrellas que giran movidas por una atracción mutua. Para esta víctima sacrificada, no hay muerte final, así que repite su historia una y otra vez. Una historia que nos levanta el espejo desmintiendo arreglos políticos y familiares inspirados en lo divino, situados en el heroísmo. El mérito de Dido es reconocer y contar su propia vida. Con conciencia de la fuente y dimensión épica de su dolor, Dido permanece alienada en el sentido hegeliano de la palabra, como separación, y no hay reconciliación con la metáfora estético/social desarrollada en Aeneas, sólo un entendimiento de su modo de ser.

# CAPÍTULO VI

# OTRA VEZ DIDO

La última etapa de la poética de Rosario Castellanos tiene lugar entre los años 1959 y 1971. Durante estos años, Castellanos publica tres libros de poesía —*Al pie de la letra* (1959), *Lívida luz* (1960) y *Materia memorable* (1969). Aunque todavía hay poemas no recogidos, el resto de la poesía incluida en *Poesía no eres tú* la seleccionó Castellanos específicamente para este volumen. Los poemas escritos después de 1969 los dividió en cuatro grupos titulados «En la Tierra de en medio», «Diálogo con los hombres más honrados», «Otros poemas» y «Viaje redondo».

Nueve años pasan entre la publicación de *Lívida luz* y *Materia memorable*. Durante este período, Castellanos cultiva la narrativa y, como siempre, sigue publicando ensayos. Entre 1960 y 1969, publicó dos colecciones de cuentos, *Ciudad Real* (1960) y *Los convidados de agoso* (1964), y la novela *Oficio de tinieblas* (1962). También escribió *Rito de iniciación*, novela que Castellanos decidió no publicar después de recibir malas reseñas. La novela trata de una joven que se inicia en el mundo de las letras en el México de la década del cuarenta. Hasta la fecha no he podido localizar copias del manuscrito y es probable que se haya perdido después de su muerte en 1974. También durante la década de los sesenta, se desarrolló su carrera periodística y docente, y en 1966 dictó clases en las Universidades de Indiana y de Wisconsin. Antes de morir, Castellanos recogió su poesía, publicó otra colección de cuentos, *Album de familia* (1972), y escibrió una obra teatral, *El eterno femenino*, que se representó y publicó póstumamente en 1975. La producción literaria de Rosario

Castellanos constituye un esfuerzo por sacar a la luz las experiencias de
personas cuya existencia misma es un «oficio de tinieblas» o que, como
la Dido de Virgilio, han sido condenadas al inframundo, la mitad oscura
de la casa.

En cuanto a su trabajo poético, después de escribir el poema de Dido, Castellanos crea una persona poética cuyo entendimiento de su pena
épica no puede negarse. Las oposiciones binarias entre «los que lamen-
tan» y «los que conquistan», los subyugados y los opresores, y el idioma
mismo que les construye, parecen combatirse en un eterno *pas de deux*
que es casi imposible romper. También, en cierto sentido, el trabajo de
Castellanos hasta «Lamentación de Dido» es el producto de una respuesta intensa y profunda a la literatura. O sea, su sentido del ser se desenvuelve en «diálogos» con un imenso panmorama literario heredado que
se construye en torno de lo femenino. La voz poética que buscaba otro
modo de ser que no fuera la absorbente tradición creacionista/cristiana
se renueva a través de la revisión de Dido. Ahora la hablante poética narra «el árbol genealógico» que sobrevive a partir del heroísmo, es decir,
de la perspectiva de Aeneas. Así, el trabajo que empieza en *Al pie de la
letra* se guía por una voz centralizante que, como Dido, siente que es su
espíritu «que estremece y el que hace cantar su follaje». Como voz poética, Dido se dispersa y dialoga con los descientes que reviven el prototipo
de Aeneas. Es decir, se construyen figuras paradigmáticas que representan el panorama cultural o histórico donde la misión heroica sigue en
marcha.

El primer poema de *Al pie de la letra*, que lleva el título del libro,
demuestra que la hablante tiene ahora plena conciencia de su desenvoltu-
ra intertextual::

> Desde hace años, lectura,
> tu lento arado se hunde en mis entrañas,
> remueve la escondida fertilidad, penetra
> hasta donde lo escuro —esto es lo oscuro: roca—
> rechaza los metales con un chispazo lívido.
>
> Plantel de la palabra me volviste.
> No sabe la semilla de qué mano ha caído.
> Allá donde se pudre

nada recuerda y no presiente nada.

La humedad germinal se escribe, sin embargo,
en la celeste página de las constelaciones.
Pero el que nace ignora, pues nacer es difícil
y no es ciencia, es dolor, la vida a los vivientes.

Lo que soñó la tierra
es visible en el árbol.
La armazón bien trabada del tronco, la hermosura
sostenida en la rama
y el rumor de espíritu en libertad: la hoja.

He aquí la obra, el libro.

Duerma mi día último a su sombra. (p. 101)

En el poema se autorreflexiona sobre su inserción en el orden de las cosas, mediatizada por la palabra. Se medita sobre las relaciones entre la «página de las constelaciones», la ciencia, y la búsqueda ontológica que se resuelve en el libro donde se inscribe la genealogía. Desde esta perspectiva, la hoja/poema es la única libertad que el espíritu posee. Es como si Dido, la anteriormente representada, sólo pudiera liberarse por medio de la escritura, y sólo la escritura puede recuperar y representar el dolor de los vivientes.

Al leer el pomea con referencia a la búsqueda ontológica anterior, se advierte la relación del ser con la lectura misma, que es responsable de una «fertilidad escondida» (la escritura misma» que dispersa la oscuridad), elemento voluminoso y silencioso («Silencio cerca de una piedra antigua»). La lectura, en combinación con un sentido del ser como piedra que necesita esculpirse (en «Trayectoria del polvo» por medio de la poesía), la ha hecho poeta. La semilla («El resplandor del ser») marginada se ignora a sí misma y sus relaciones eslabonadas. De esta manera se configura una ecología—un sistema doméstico-económico— en la cual el poema/hoja simboliza la libertad del espíritu: «Il faut tenter de vivre!... Envolez-vou, pages tout eblouis;» (Los versos de Valéry citados en el capítulo IV.) A través de las relaciones análogas inherentes al poema y examinadas como drama simbólico que se conjuga con el pasado, la existencia misma se consagra al árbol/libro. Esto es, el libro en proceso y no el libro antiguo que la tentaba en la lucha contra el silencio y la soledad. Sin embargo, no hay escape de la ley existencial, o sea, la ley de la gravedad corporal y su relación a las constelaciones. Así, el verso temprano «Heme aquí en los umbrales de la ley» es desplazado por el cuerpo y su relación al orden natural de las cosas donde sólo sobrevive el espíritu/poema. La identificación anterior entre Muerte/Eva se transforma ahora en una referencia simbólica a Dido. La Dido que sobrevive para contar la historia del dolor, del lamento —la historia de los sobrevivientes del desastre. Pero reconstruir la propia poética, «al pie de la letra», significa empezar de nuevo.

*Al pie de la letra* contiene un gran número de monólogos meditativos, dramáticos y líricos, que tratan de precisar las relaciones sociales. En efecto, es una relectura y reinscripción del propio trabajo anterior. La hablante de «El resplandor del ser», que existía en un *pas de deux* con la palabra/cosmos fuera de las relaciones humanas, ahora emerge en una relación contemplativa y autodefinidora con respecto al universo:

El que contempla, ese soy yo: el ímpetu
detenido en la orilla como el pájaro
de los acantilados.
Garra sobre la roca
y nada más. La órbita del ojo.
El puro alrededor de la mirada. (p. 104)

Lo que antes se experimentaba como marginalización lamentada, ahora se elige. El margen le permite la contemplación del exterminio que nunca acaba de practicarse:

La ola que levanta
con ademán de capitán invicto
cien y mil y mil veces el escudo
vencedor del que ama y aún del que contempla.
(...)
Porque la ola exhala
una densa humareda de exterminio. (p. 104)

Poemas como «Epitafio del hipócrita» (pp. 105-106) y «Diálogo del sabio y su discípulo» (pp. 106-107), representan al «capitán invicto» (los Aeneas de este mundo y sus variaciones). Su modo de ser es inauténtico porque ignoran o se niegan a reconocer sus conexiones con los otros. El consumo mismo de los otros hace estatua del hipócrita:

Ensaya a ademanes
—heroico, noble, prócer—
para que al desbordarse la lava del elogio
lo cubriera cuajando después en una estatua. (p. 106)

Y al sabio:

No estás solo y aparte.

Algo te roban si una estrella cae. (p. 107)

Es por medio de una relación recíproca que los individuos se hacen íntegros y no por medio de la negación:

Si nos duele el dolor en alguien, en un hombre
al que no conocemos, pero que está
presente a todas horas y es la víctima
y el enemigo y el amor y todo
lo que nos falta para ser enteros. (p. 109)

La presencia de los otros, incluso las víctimas y enemigos, nos revela a todos. El ejemplo («Epitafio del hipócrita») del monólogo dramático de una conversación implícita con el sabio, y la referencia a la humanidad («El otro»), nos urge a reconocer los poderes revelatorios de las conexiones, y cuestiona por qué el «polen de los jardines más remotos» (p. 109) tiene que evocarse. Esto es, cuestiona la supervivencia de los fundamentos originarios que sociohistóricamente siguen repitiéndose. Se pregunta por qué la antigua codificación de los orígenes todavía tiene vigencia social.

En «Dos meditaciones», Castellanos apela a sí misma y al amigo que es su otro: «Considera, Alma mía, esta textura / áspera al tacto, a la que llaman vida» (p. 108), y por medio de la metáfora fundida —característica de su poética: textura/vida/tejido/amor— llama la atención sobre la economía ecológica de la casa en la cual el trabajo nunca se termina. Una vez que se contemplan las inmensas interrelaciones, Castellanos cuestiona al hombre, cuya subjetividad se propone atrapar el mundo e imponerse a Dios, o tal vez hacerse Dios. Se evalúa como esfuerzo sin sentido, ya que la misión verdadera de Dios es engendrar continuamente criaturas «cuyos alaridos rompen esta campana de cristal» (p. 108). El esfuerzo por atrapar y controlar el mundo de una vez por todas para ponerlo bajo una «campana de cristal», se desmiente y desplaza constantemente por la natalidad que reconstituye al mundo una y otra vez y «trastorna lo existente, / puede más que lo real / y desaloja al cuerpo de los vivos» (p. 110). Al evocar al hombre como prototipo subjetivo moderno que se considera sustituto divino, la hablante reconoce una vez más su naturalidad y la de sus verdaderos hermanos. Si anteriormente se había afiliado con Caín, ahora lo hace con Abel y sus descendientes:

> Que tienen manos torpes
> y todo se les quiebra entre las manos:
> que no quieren mirar para herir
> y levantan sus actos
> como una estatua de ángel amoroso
> y repentinamente degollado. (p. 109)

Sin embargo, estas consideraciones propuestas por medio de una dispersión de voces reprersentan un deseo que todavía no se cumple. Los comentarios e historias que exigen contarse con las que se hacen en protesta bajo «esta campana de cristal». La historia de los descendientes de Abel, con excepción de algunos poemas en *Lívida luz*, se relegan a la prosa narrativa, especialmente *Ciudad Real* y *Oficio de tinieblas*. Dentro del trabajo poético, la lucha que más concierne a Castellanos son los antagonismos entre la variedad de hablantes femeninos y los prototipos masculunos culturales que construyen un mundo sofocante. Así, al continuar el *pas de deux* y sus ramificaciones familiares en «Lamentación de Dido», y en *Al pie de la letra*, hay una reiteración mínima de imágenes del poema de Dido. La repetición es parte del proceso simbólico que permite a Castellanos crear su autovisión: «Me tendí, como el llano, para que aullara el viento. / Y fui una noche entera / ámbito de su furia y su lamento. / Ah, ¿quién conoce esclavitud igual ni más terrible duelo?» (p. 111). El viento, otra vez, es fuerza violenta e implacable, conciencia pura responsable por la subordinación de todos. El viento es símbolo del Principio Masculino inflexible que margina a grandes porciones de la humanidad. Este Principio Masculino se protagoniza como la avaricia y el hambre que se mueve por sostener su supremacía y dominación. La hablante protesta así:

No te acerques a mí, hombre que haces el mundo,
déjame, no es preciso que me mates.
Yo soy de los que mueren solos, de los que mueren
de algo peor que vergüenza.

Yo muero de mirarte y no entender. (p. 174)

Dos figuras paradigmáticas se presentan en *Al pie de la letra*. Una es de ella, preocupada por el «árbol familiar», y la otra de él, preocupado por las abstracciones, sueños de poder y ciencias esotéricas. Estas representaciones tienen ramificaciones y variaciones a través del resto de los poemas en *Poesía no eres tú*. En términos generales, ambas son el monólogo representativo de ella y de él, reflejando la brecha entre ellos. Los poemas se titulan «Monólogo de la extranjera» y «Una palabra para el heredero».

En «Monólogo de la extranjera», que es reescritura de un poema de Gabriela Mistral, la hablante declara: «Vine de lejos» (p. 112). Así, la emergencia del sentido propio se fundamenta en un sitio que no corresponde al social, donde ni el idioma que se habla es familiar. Es la reiteración, desde un ángulo diferente, del verso anterior en *De la vigilia estéril*: «Porque yo soy de aquellos desterrados / ... y toda voz humana una lengua extranjera» (p. 45). Ahora, sin embargo, la lengua o voces extrañas se ven como «terciopelo pesado, recamado de joyas» que sirven para cubrir la pobreza ontológica. Es este idioma que encubre la pobreza cultural el que en parte la ha hecho muda. La niñez se pasó bajo la amenaza constante de la injusticia y el crimen y se volvió el eje de su desarrollo. Bajo la sombra de la aniquilación constante del ser, o de la raza con la que sentía afinidad, cualquier otra búsqueda carece de importancia. Fue, pues, imperativo crecer rápidamente, rebelarse y huir:

... me fue necesario crecer pronto
(antes de que el terror me devorase)
y partir y poner la mano firme
sobre el timón y gobernar la vida.
Demasiado temprano
escupí en los lugares
que la plebe consagra para la reverencia.
Y entre la multitud yo era como el perro
que ofende con su sarna y su fornicación
y su ladrido inoportuno, en medio
del rito y la importante ceremonia.

Sin embargo, su rebelión, su furia, su interrupción de «ritos» y «ceremonias» parece sólo haber hecho, irónicamente, que los hombres recordaran que:

... el destino
es el gran huracán que parte ramas
y abate firmes árboles
y establece en su imperio
—sobre la mezquindad de lo humano— la ley
despiadada del cosmos.

Al revisar el pasado, para entender una vez más su situación contingente, ella se vuelve otra vez símbolo de la naturaleza en antagonismo con el poder de una ley cósmica representada por el huracán/poder. Así, no ha realizado más que un sentido de no-existencia ontológica. Otra vez es una entidad a través de la cual los hombres pueden discernir su identidad:

Y cuando, a medianoche,
abro de par en par las ventanas, es para
que el desvelado, el que medita a muerte,
y el que padece el lecho de sus remordimientos
y hasta el adolescente
(bajo de cuya sien arde la almohada)
interroguen lo oscuro en mi persona. (p. 114)

Aunque de nuevo se haya vuelto signo especular para otros, existe una diferencia cualitativa: ahora es representativa de una naturaleza salvaje que debe domesticarse. Dentro del matrimonio se siente muerta: «y en el dedo que dicen aquí "del corazón / tengo un anillo de oro con un sello grabado. / El anillo que sirve para identificar los cadáveres» (p. 114). La búsqueda ontológica ha revolucionado e iluminado un callejón sin salida. Si anteriormente la interrogación repasaba la codificación cerrada de lo cristiano y lo romántico, ahora se confronta con la dicotomía entre naturaleza salvaje y ley cósmica opaca, que incluye un destino predeterminado. El antiguo «amado fantasma» y el viejo «amigo» han retornado con máscaras diferentes; sin embargo, mientras que aquéllos fueron apropiaciones textuales de la herencia literaria/bíblica, ahora enfrenta a tipos históricos y culturales —los herederos de la nación, cuyo ascendiente paradigmático es Aeneas.

«Una palabra para el heredero» es el retrato del hombre típico que Castellanos piensa predomina en su contexto, junto con el hipócrita y el sabio. El poema es monólogo pronunciado en tiempo contingente que responde a las preguntas ¿quién eres? y ¿cuál es tu herencia? Se describe así:

Heme aquí, el heredero con su haber: apellido
que empurpuró la fama
y una mansión en ruinas.

Aquí la planta del jardín, que anataño
era lujo y adorno,
hoy medra devorando lo construido. (p. 114)

La alternancia entre la gloria pasada y las ruinas presentes enmarca su comprensión de sí mismo, congelado en el momento de enunciarse. El presente se evapora en sueños donde el tiempo no rige. Algunos de esos sueños, empero, se concentran en memorias heroicas que él quiere recrear de nuevo:

A veces rememoro y se encabrita en mí
el potro del heroísmo y la rapacidad,
el ulular del rapto.

Y las figuras cruzan
con esa libertad magnífica y triunfante
de los hechos pretéritos.

La grandeza pasada lo disminuye, y lamenta su terminación; consecuentemente, se siente desposeído de su verdadera herencia. Se paraliza entre la remembranza nostálgica y el peso histórico, buscando refugio en lo esotérico. El retrato del heredero se retoma en el poema «Los distraídos» de *Lívida luz*. Los herederos, acostumbrados a ser servidos, siguen «exigiendo una silla más cómoda, un menú / más exquisito, un trato más correcto». En medio de la invasión constante la narradora observa, «¡Querido, si te sirven sin gratitud, castígalos!» (p. 183). Este heredero, que es amigo y amante, crea odio:

Y en los muros había un desorden peculiar
y en las mesas no había comida sino odio
y odio en en el vino y odio en el mantel
y odio hasta en la madera y en los clavos. (p. 184)

En un ámbito donde la ley se concibe como instrumento para hacer que otros sirvan, el amor es casi imposible:

Aquí, bajo esta rama, puedes hablar de amor.

Más allá es la ley, es la necesidad,
la pista de la fuerza, el coto del terror,
el deudo del castigo. (p. 178)

Los poemarios *Al pie de la letra* y *Lívida luz* destilan el contraste entre el deseo cultural de la hablante y el de él. Como amigos y amantes también tienen un impacto sobre sí que requiere su narrativa. Una narrativa elaborada a base de monólogos lírico-dramáticos donde las relaciones entre ellos se perciben como lucha por el poder o la negación a reconocer la existencia separada del otro, especialmente ella.

Inicialmente, el dilema se aborda a través de un monólogo alegórico titulado «Destino» del poemario *Lívida luz*. Es protesta, trabajada paradójicamente contra el *pas de deux* de los amantes (o tal vez el de opresor-esclavo) que de dos ha hecho uno de manera sintética y sofocante:

Matamos lo que amamos. Lo demás
no ha estado vivo nunca.
Ninguno está tan cerca. A ningún otro hiere
un olvido, una ausencia, a veces menos.
Matamos lo que amamos. ¡Que cese ya esta asfixia
de respirar con un pulmón ajeno!
El aire no es bastante
para los dos. Y no basta la tierra
para los cuerpos juntos
y la ración de la esperanza es poca
y el dolor no se puede compartir.

El hombre es animal de soledades,
ciervo con una flecha en el ijar
que huye y se desangra.

Ah, pero el odio, su fijeza insomne
de pupilas de vidrio; su actitud
que es a la vez reposo y amenaza.

El ciervo va a beber y en el agua aparece
el reflejo de un tigre.
El ciervo bebe el agua y la imagen. Se vuelve
—antes de que lo devoren— (cómplice fascinado)
igual a su enemigo.

Damos la vida sólo a lo que odiamos. (pp. 171-172)

El amor concebido como poder o posesión de otro, mata. Hay dos respuestas a la situación: o la transformación del ser a semejanza del enemigo o muerte y soledad. El amor entre dos, concebido como conquista o dominación, es tema que Castellanos repite una y otra vez. El aparente determinismo de tal situación la lleva a otro punto de partida. En «Nocturno», del libro *Materia memorable*, se invita al amigo/amante a conversar: «Amigo, conversemos». No obstante, el poema representa relaciones cuyo comienzao corresponde a los orígenes de la especie. Ambos, hombre y mujer, se encuentran atrapados en un destino mutuamente destructivo. En el «Nocturno» del poemario «De la vigilia estéril», se abordó la aceptación de los terrores de la noche y la muerte para no entrar en la mitografía romántica de la trascendencia; en «Lamentación de Dido», la noche fue un abandono al frenesí del amor y la pasión; ahora, el «Nocturno» es la mitografía amorosa en las profundidades de lo oscuro. La unión entre dos como si fueran uno resulta ser pronunciación de los patriarcas. De hecho, sus vidas se han desenvuelto entre conflictos a muerte y quehaceres opuestos:

> Espalda contra espalda.
> (...)
> Atados mano contra mano...
> (...)
> hemos sido gemelos y enemigos.
>
> Nos partimos el mundo, para ti
> ese fragmento oscuro del espejo
> en que sólo se ve la cara de la muerte,
> los hierros, las espinas del sacrificio, el vaso
> ritual y el cascabel violento de la danza.
>
> Y para mí la túnica parda de la labor,
> la escudilla de barro torneado con las manos
> en que no cabe más que un sorbo de agua
> y el sueño sin ensueños de la sierva. (pp. 193-194)

Sin embargo, la división del trabajo —él como sacerdote, ella como sierva— no fue suficiente. Su deseo de poder y control lo lleva a él a hacerse protagonista y opresor, destruyendo así las labores de ella: «O incendiabas, de pronto, mi faena / con un enorme resplandor sagrado» (p. 194). Trata de interrumpir los ritos que rigen su mundo:

> Y yo la hormiga. Yo
> cosquilleando en tu brazo, hasta abatirlo,
> cada vez que querías alzarlo hasta los cielos.
> (...)

Y yo, la tos que rompe
la redondez entera de la bóveda
en el instante de la consagración. (p. 194)

Los esfuerzos por «romper» la bóveda que determina sus relaciones provoca duelos de culpa y luchas a muerte. La noche se transforma en tormentoso combate moral y «Nada anuncia su término» (p. 195). Empezando con los orígenes, el proceso se desenvuelve hacia el presente y se pide comunicación verdadera:

Demos a la fatiga una tregua y hablemos.

Ayúdame a decir esa sílaba única
—tú, —yo— ¡pero no dos, nunca más de dos!
cuya mitad posees. (p. 195)

Para desatar la pareja «adánica» y desanudar la sílaba dos, pide conversación. Este nocturno es antifónico al romántico convencional. Por medio del «Nocturno», como fondo y forma transvualadas, Castellanos percibe las ataduras *a deux* incapaces de suplir las necesidades y deseos fundamentales. El desenvolvimiento ontológico requiere más que la repetición de ritos antiguos. A la mitografía del amor de Rougemont la ha llamado un modo privilegiado del conocimiento en el mundo occidental. Castellanos apunta hacia la impotencia de ese modo de conocer. El poema «Amor», por ejmplo, es una lírica contraalegórica que presupone la unión armónica para desmitificarla. El no se dará cuenta de su propia superficialidad hasta que se le trate como a tal:

Sólo la voz, la piel, la superficie
pulida de las cosas. (p. 121)

Hasta que un día otro lo para, lo detiene
y lo reduce a voz, a piel, a superficie
ofrecida, entregada, mientras dentro de sí
la oculta soledad aguarda y tiembla. (p. 211)

Para romper con el *pas de deux* congelado en las páginas del amor occidental y hecho práctica por muchos, Castellanos introduce y descubre la conexión entre sí y los otros cuya existencia disuelve la soledad a dos:

> ... doy vuelta a la página
> y allí, en un arrozal, agazapado,
> tiritando de frío y de terror
> de un enemigo que también se esconde
> y que también tirita,
> encuentro a un hombre que es distinto a mí
> por el color, por el idioma, pero
> igual en el relámpago que ilumina este instante
> en que él y su adversario, y yo, que no los veo,
> estamos juntos, somos uno solo
> y en nosotros respira el universo. (p. 202)

La identidad y diferencia entre la hablante, el otro y el amigo representan la red de relaciones equivalentes; por ello le pide a él, «Amor mío», que no se sienta más próximo a ella «que aquél del arrozal» (p. 203). Las presencias recíprocas y mutuas son transformativas:

> A mí, como una hoguera en pleno campo,
> se arriman en la noche los de mi tribu y otros
> desconocidos y aún algunos animales
> cuya inocencia guardo.
>
> En medio de este coro de presencia
> soy lo que soy: materia
> que arde, que difunde calor y luz. Crepito
> la respuesta gozosa: ¡viven todos! (p. 203)

El, sin embargo, es la muerte misma:

> Permaneces allí, imagen del que ha muerto,
> rostro del que partió con la promesa
> de volver, como flor entre los labios. (p. 203)

Para Castellanos, la imagen sobreviviente del que ha mueto y partido (véase también «Retrato de antepasado», p. 192) sirve de símbolo combinatorio para una variedad de entes masculinos, redentores del planeta, del patrimonio, del ser femenino —de ese modo nos da a su hermano, Cristo, el amigo/amante, Aeneas, Adán, etc. El deseo visionario de la interrelación universal ecológica que ella percibe como dialéctica de identidad y diferencia es la promesa y profecía de la física, no de la matemática.

En la poética de Castellanos, el amor al otro es símbolo de nuestra conexión existencial, y se emplea para interrumpir el silencio femenino tanto como el destructivo *pas de deux*. El Otro, tal como lo representa Castellanos, es una combinación compleja del entendimiento de Jean Paul Sartre y Simone de Beauvoir. Para Sartre «Somos ambos sujeto y objeto, así que definimos a, y somos definidos por otros».[1] Sin embargo, tanto para Sartre como para Hegel, el otro es fuente del conflicto que provoca el deseo de eliminación del otro. El argumento feminista de de Beauvoir, empero, es que «el hombre siempre ha concebido el ser como algo esencial de sí, y ha hecho de la mujer lo Otro».[2] Dicho de otro modo, que el hombre define su esencia en oposición a la mujer mediatizada por ella. Castellanos acepta la afirmación sartreana como presupuesto elemental y añade la perspectiva de de Beauvoir, quien por su parte ha tomado la afirmación sartreana trasladándola al ámbito de las relaciones hombres mujer. Pero Castellanos no sólo ve a la mujer como el Otro del hombre, sino también como a otros grupos culturales que han sido sometidos al Principio Masculino occidental, que se percibe como el Ser esencial frente al Otro. En la poética de Castellanos el ser esencial masculino es representado como conciencia alienada de la naturaleza y el cuerpo, de la temporalización misma. Su afán es el poder, la posesión y se siente espíritu idéntico a Dios, o sustituto de El —esto corresponde a la proposición de Hegel: «Dios como espíritu es el hombre... Dios es idéntico a cada hombre».[3] Así, por ejemplo, los juegos de la inteligencia en el deseo de poseer son juegos que todos pueden jugar, o sea, el ser puede asumir la imagen del enemigo para no ser exterminado. El *pas de deux* amoroso se vuelve *pas de deux* a muerte por medio de la inteligencia en el poema «Ajedrez»:

---

1 Dorothy Kaufmann McCall, «Simone de Beauvoir, *The Second Sex*, and Jean Paul Sartre», *Signs: Journal of Women in Culture and Society*, Vol. 5, Núm. 2 (Invierno, 1979), p. 210.

2 McCall, p. 210.

3 Charles Taulor, *Hegel*. New York: Crambridge University Press, 1977, p. 209.

Porque éramos amigos y, a ratos, nos amábamos;
quizá para añadir otro interés
a los muchos que ya nos obligaban
decidimos jugar juegos de inteligencia.

Pusimos un tablero enfrente de nosotros:
equitativo en piezas, en valor,
en posibilidad de movimientos.
Aprendimos las reglas, les juramos respeto
y empezó la partida.

Henos aquí, hace un siglo, sentados, meditando
encarnizadamente
cómo dar el zarpazo último que aniquile
de modo inapelable y, para siempre, al otro. (p. 293)

Dentro del pensamiento ensimismado de la subjetividad autoconsciente, que surge de la metafísica moderna a partir de Descartes, no hay espacio para la emergencia heracliteana ni tampoco para la apertura (descubrimiento) existencial.[4] Castellanos, creo, percibe al otro y al amor como fuentes de apertura y descubrimiento existencial que desplazan lo consabido. El amor como fuerza que ilumina lo circundante radica en el movimiento temporal dialéctico entre el ser, la naturaleza y el otro. «La apertura o espacio (el intérvalo de conjugaciones) viene a ser lo que se enfrenta con el hombre. La conciencia es posible sólo derivándose de este movimient de apertura y del hombre. La conjugación se piensa en término de una emergencia que ocurre dentro de ella, como términos de un descubrimiento».[5] Creo que éste es el sentido que Castellanos pone en juego en su poesía madura. Por medio de él urge al heredero, al amigo, al amante, al sabio, al capitán invicto, al dueño, al señor a que recapaciten sobre la existencia.

El deseo de apertura (o descubrimiento) a través de otros, sin em-

---

4 Kenneth Maly, «Man and Disclosure»,, en John Sallis and Kenneth Maly, eds., *Heraclitean Fragments: A Companoion Volume to the Heidegger/Fink Seminar of Heraclitus*. Alabama: Univesity of Alabama Press, 1980, p. 55.

5 Maly, p. 55.

bargo, es intención proyectada hacia el futuro. Castellanos, en el límite entre el pasado y el futuro, a menudo se siente incapaz de efectuar un sistema de economía significativa abierta y en el enfrentamiento con el «todavía no» es impelida a seguir contando lo que ha sido y todavía no es. No obstante, la reinscripción del pasado, la inscripción del presente y sus conjugaciones también son descubrimientos que todavía tienen lugar bajo una bóveda forjada por significaciones ontológicas agotadas de todo sentido práctico, o sea, que la praxis en sí debe cambiar. Muchos de estos poemas o son exploraciones de asesoramiento biográfico o son narraciones de la codificación de lo femenino desde sus orígenes que desembocan en un presente contingente que capta críticamente.

Al reinscribir los significados de lo femenino, Castellanos desmitifica el contrato sociosimbólico que es reductivo y sacrificante para ella. La búsqueda ontológica de lo femenino se hace inicialmente por medio del paradigma de Eva, cuya recodificación la lleva a desplazar el sistema «legal», «bajo el que mis padres me engendraron» (p. 198). Esto es, la ley bajo la cual el ser femenino no tiene derecho a comprometerse en la búsqueda ontológica propia sino que espera a que se cumpla el ciclo vital de su naturaleza, que es la naturaleza misma: «no supe mi destino de vegetal, mi nombre / que termina en la punta de mis dedos / y quise dar un paso más allá / donde se ahoga el pez, donde estalla la piedra» (p. 198). Pero el proceso de estallar la piedra (símbolo de mudez, silencio, inexistencia) y hacerla hablar la conduce a un mundo «donde el hombre / movía sus figuras de ajedrez / y era una transparente atmósfera de águilas» (p. 198). La estructura intelectual que afecta a lo social es jarárquica y a cada paso ella tiene que cumplir el quehacer y significado asignado. De ahí la percepción de Castellanos de que vivimos bajo una ley cerrada como bóveda. En ese mundo no hay posibilidad de cambio existencial. En contrario a la afirmación de la búsqueda inicial donde la narradora se movía hacia un futuro liberador en potencia, en los poemas subsiguientes se enfatiza un humor claustrofóbico, bajo protesta.

En el poema «Ultima crónica», la narradora descubre que su posición con relación a lo ceremonial y lo sagrado es de funcionaria, de amanuense. Y en este sentido la «última crónica» es como una grabadora de lo sagrado y no su intérprete, porque no puede haber otra historia, otra

narración. La narradora fue invitada a atestiguar el rito sacrificante de la
diosa que también es chiva expiatoria:

> a ese culto secreto en el que se renueva
> la sangre ya caduca,
> en que se vivifican las deidades,
> en que el árbol se cubre de retoños. (p. 213)

Así, la comunidad se reaviva, como comenta Girard: «La muerte del individuo tiene algo de la cualidad de tributo cargado para la existencia
continuada de la colectividad. Un ser humano muere y la solidaridad de
los sobrevivientes se reconstituye por esa muerte».[6]

Al principio, el acto aterroriza a la narradora-amanuense porque
pensó que éste perturbaría a los muertos, al héroe, al astrónomo, los visionarios del progreso; pero no es el caso, ése es el orden de las cosas. O
sea, el sacrificio es necesario para proseguir con el orden vigente. La víctima tiene muchos nombres, «y es siempre la misma» (p. 213). La primera víctima fue la madre primicia. Más tarde se reconstituye bajo diferentes nombres hasta la última ceremonia, que es la que la narradora atestigua. La última víctima no ve, ni siente, está totalmente degradada. En el
momento del sacrificio, la víctima se transforma en el mal encarnado, se
llena de furia y odio:

> ... Nuestra dueña
> desollada y por ello lamentable
> se recubrió de escamas de reptil
> y se ciñó al tobillo un cascabel frenético
> (el de la danza no, el del exterminio)
> y se volvió hacia todos, poseída
> por un furor que tuvo a su alcance el instrumento
> para ser eficaz, para destruir
> lo tan penosamente atesorado. (p. 215)

La narradora se asusta con la furia de la sacrificada y al sentir que ella ha
sobrevivido al desastre le gustaría llamarla simplemente «Ménade» —de-

---

6 René Girard, *Violence and the Sacred*, trad. Patrick Gregory. Baltimore: The John
Hopkins University Press, 1977, p. 255.

vota del culto a Dionisio. Desde el punto de vista de lo sagrado y de la construcción del orden cultural, las ménades y el culto de Dionioso «enuncian la desintegración de las instituciones sociales y el desmoronamiento del orden cultural...».[7] Al pensar que ella, como testigo de la «última» repetición ceremonial, ha escapado a los extremos binarios de estas figuras femeninas, Dios-Ménade, cree que puede nombrarlas libremente. Sin embargo, descubre que dentro de ese orden cultural ella no es ni juez, ni intérprete, sino grabadora y se le dicto lo que ha de decir:

> Y me dicta mentiras: vocablos desgastados
> por el rumiar constante de la plebe.
>
> Y continúo aquí, abyecta, la tarea
> de repetir grandeza, libertad, justicia, paz, amor, sabiduría
> y... y... no entiendo ya
> este demente y torpe balbuceo. (p. 216)

Su posición de amanuense la obliga a conservar las instituciones culturales, y a emplear el lenguaje exigido, no puede ni interpretar, ni nombrar. Además, palabras extrañas como Ménade son sospechosas.

«Recordatorio», poema alusivo a lo sagrado, es un «recordatorio» sarcástico a los conservadores del orden cultural, que ella ha actualizado. Así pide la orden para retirarse: «Obedecí, señores, las consignas» (p. 218). Usando un término relacionado a lo militar, Castellanos enumera los deberes obedecidos: «La reverencia de la entrada», «los bailes», «aguardar el arribo del príncipe» y «cumplido con el tributo de la reproducción biológica». Porque todavía espera, se pregunta si los señores han olvidado «dictar la orden de que me retire» (p. 219). La reinscripción del destino femenino frente al orden cultural también se desenvuelve en poemas narrativos que homenajean a Hécuba. En el poema «El talismán», donde la búsqueda de significaciones de lo femenino es revelada por el profeta de la tribu:

> será el nombre
> con que te llame tu hijo

---

7 Girard, p. 127.

cuando tenga hambre o miedo de estar solo.
Y ha puesto entre mis manos este pedazo de ámbar
para que me recuerden
—después, cuando yo muera—
aquellos que me amaron. (pp. 207-208)

El deseo de abrir las puertas a otras formas de vida se ve constantemente
frustrado, o irónicamente reinscrito, tal el valor que Castellanos da a la
práctica de la escritura mediatizada por «esta luz en que se mira entero»
(p. 181). De igual forma interroga la herencia cultural mexicana y de occidente.

Después de 1969, Castellanos comienza a abandonar los códigos recibidos intertextualmente, tanto como las conversaciones intratextuales
consigo misma a través de su propia codificación, aunque nunca se aban-
done por completo, porque es la herencia presupuesta para su diferencia:
«Me dijeron: no busques. Nada se te ha perdido. / Y los vi desde lejos /
ocultar lo que roban y reír» (p. 176). Algunos poemas más siguen el hilo
anterior, pero otros asesoran el presente autobiográfico, graban lo que se
es por qué se es. O sea, que la mirada se vuelva directamente sobre el ser
social que es ella, y no se mediatiza por figuras codificadas que ella inte-
rrogue: interroga su propia codificación social.

En «Autorretrato», Castellanos se presenta como «señora» este-
reotípica que llega a ser escritora. Invierte sus propios valores for-
mulados desde el principio de su proyecto poético, parodiando su propia
existencia. La noción de «señora» alude al imperativo del matrimonio
como acceso a un «buen» estatus social. Es un retrato despiadado. Afirma que el título «señora» es muy útil, más «que un título / extendido a
mi nombre en cualquier academia» (p. 299). En su caso, fue un título difícil de adquirir, alusión al hecho de que no se casó hasta la edad de 33
años:

Así, pues, luzco mi trofeo y repito:
yo soy una señora. Gorda o flaca
según las posiciones de loas astros,
los ciclos glandulares
y otros fenómenos que no comprendo.
(...)

Soy más o menos fea. Eso depende mucho
de la mano que aplica el maquillaje. (p. 299)

Si por un lado hacerse «señora» fue un gran logro social, el no ser bella
ni sobresaliente en nada le permite mantener la amistad de admiradores
tontos y le preserva de enemigos. Tiene pocas amigas, porque muchas
son como ella y le critican cuando rompe con el buen gusto. Es madre
de un hijo, Gabriel (el nombre actual de su hijo), y sabe que él será «juez
inapelable», y hasta «verdugo». Como todavía es niño, lo ama. Prefiere
una vida solitaria leyendo y escribiendo. El sufrimiento es parte de su
herencia cultural y más habitual que resultado de causas concretas «por
no diferenciarse más de mis congéneres» (p. 300), puro conformismo.
No sabe cómo ser feliz; sin embargo, se le enseñó a lamentarse, aunque
este mal funciona en ella porque lamenta ocasiones que no exigen el
llanto:

es en mi un mecanismo descompuesto
y no lloro en la cámara mortuoria
ni en la ocasión sublime ni frente a la catástrofe.

Lloro cuando se quema el arroz o pierdo
el último recibido del impuesto predial. (p. 300)

El conformismo con su esterotipo es conveniente aunque éste se niegue
desde su posición marginada. Su imagen física, su persona mediocre, inclusive su sufrimiento habitual se proponen con el fin de tener entrada al
círculo sociocultural. Frustraciones de poca consecuencia (ontológica) se
vuelven pivotes centrales de respuesta afectiva. En esa forma queda burlada su propia búsqueda ontológica textualizada. Por medio del autorretrato autosatírico se apunta lo malogrado que no se puede nombrar;
no obstante, como señora, ella es la verdadera pareja del heredero y el
amigo.

Como autoasesoramiento los poemas recogidos en *En la tierra de en
medio* tienen resonancias de la «Respuesta a Sor Filotea», de Sor Juana
Inés de la Cruz. Dicha resonancia es intencional, dado el título del poemario, pues hace referencia al pueblo donde nació Sor Juana —Nepantla,
o tierra de en medio. De esta manera, Castellanos subraya su filiación

con Sor Juana. «Autoretrato» genera otros poemas, lo complementan y suplementan y extienden: «Economía doméstica», «Entrevista de prensa», «Narciso 70», «Mala fe», «Valium 10», «Lecciones de cosas», «Post-scriptum» y «Poesía no eres tú».

«Economía doméstica», «Lecciones de cosas» y «Post-scriptum» enumeran la ética social y espiritual que se le ha enseñado a la hablante para cumplir con el deber femenino. Esa ética sirve para que ordene su casa y su espíritu. Son lecciones cuyos propósitos se desplazan por el mal funcionamiento que hay en ella. En el orden doméstico los visitantes deben percibir simetría, belleza y armonía. Todos los objetos estarán en su lugar correspondiente. En efecto, ésta es la imagen que se ofrece a las visitas. Las relaciones sociales objetivas, sin embargo, encubren un desorden espiritual que ha sido relegado a los poemas, a los cajones que contienen la labor verdadera:

> Pero hay algunas cosas
> que provisionalmente coloqué aquí y allá
> o que eché en el lugar de los trebejos. (p. 203)

«Lecciones de cosas» recoge las enseñanzas que habían de ordenar el espíritu y han funcionado mal:

> Me enseñaron las cosas equivocadamente
> los que enseñan las cosas:
> los padres, el maestro, el sacerdote
> pues me dijeron: tienes que ser buena. (p. 307)

Los valores heredados —ser buena, bajar los ojos, el silencio, actitud pasiva, comportamiento decoroso, perdonar, obedecer, poner la mejilla— no la recompensan, sino que la hacen objeto de abuso:

> Y pasaron los años
> y yo era la piedra de tropiezo contra
> la que chocha el distraído o,
> si mejor emplazada, punching bag
> en el que ejercitaban su destreza los fuertes. (p. 309)

De hecho, es objeto de una misoginia que se revierte a Eva:

Y sólo vi desprecio por mi debilidad,
odio por haber sido el instrumento
de la maldad ajena. (p. 309)

El deseo de efectuar algo diferente, de seguir otro orden, «como el grano de arena / que paraliza toda la función» (p. 309), hizo que se le condenara. Como resultado, asume el conformismo de un tornillo bien aceitado, «con el cual la máquina trabaja satisfactoriamente» (p. 309). Para tener éxito en su medio social se impone una función utilitaria. En «Postscriptum» Castellanos ataca esa irresolución, ese conformismo. Ataca a la hablante de «Lecciones de cosas» tildando su actitud de «femenina». Para Castellanos la feminidad, en su sentido tradicional, es pasiva y conformista, no rompe el orden social, se somete a los requisito de la «máquina» (ontológica). Pregunta, «¿no te sublevas contra esta tarea circular / de mula en torno de la noria?» La hablante femenina responde:

La metafísica dora todas las píldoras,
sirve de colagogo, lo mismo que la ética.
No la desprecies tanto, pues ya no eres tan joven.
Y las precisarás, como a la religión,
o cualquier otra droga cuando venga
el verdadero tiempo de agonía. (p. 311)

Por medio de este diálogo intrapoético, donde se le asignan valores ontofemeninos a una voz e interrogación desde fuera, Castellanos, una vez más, se sitúa en el centro del dilema feminista moderno. ¿Cómo hallar salida del contrato sociosimbólico tradicional? Este contexto sociosimbólico que lleva a Julia Kristeva a afimar que las mujeres sienten que «han sido excluidas del contrato sociosimbólico, del lenguaje como relación social fundamental».[8] O sea, del contrato onto(teo)lógico que ordena y encadena la serie de significaciones poniendo al sujeto masculino en el centro de su articulación, de tal manera que la mujer no puede sumarse a él como mujer, pues ya está del lado negativo de las significaciones

---

8 Julia Kristeva, «Women's Time», trad. de Alice Jardine and Harry Blake, *Signs: Journal of Women in Culture and Society*, Vol. 7, Núm. 1 (Otoño, 1981), p. 24.

eslabonadas. Según Castellanos, el sistema sociosimbólico de Occidente
ha generado valores e ideas que por un lado nos mantienen «siempre en
el mismo sitio» (p. 311) y por otro ofrecen consolación. Así la narradora
prosigue las tareas simultáneas de cumplir con las responsabilidades coti-
dianas femeninas e interrogar a la «esfinge» sobre la exclusión de ella de
ese orden ideológico. Puede consolarse o resolver los conflictos diarios
entre la praxis femenina y la teoría masculina con valium.

En «Mala fe», para evaluar sus características «femeninas», Castellanos vuelve sobre la temática de exclusión e inclusión en el esquema patriarcal. La pregunta básica en el poema es quién comete la mala fe, el
hombre o la mujer:

> Ni el cielo constelado de estrellas ni de ley
> moral, urdida en la raíz del hombre.
> No, a diferencia exacta de Kant, no me suscitan
> tales contemplaciones,
> tales meditaciones, maravilla o asombro.
>
> Me conmueve más bien la vastedad
> del espacio, la inmensa
> magnitud de los tiempos
> y las cosas que son y las que ocurren.
> ¡Tantas cosas! Orugas, tempestades,
> hiedras alrededor de una columna
> a medio derruir,
> casitas suburbanas, tractores, incunables,
> abrelatas, tratados de paz, mesas de bridge,
> piedras semipreciosas, recetas de cocina
> y más y más y más. (pp. 304-305)

Al situarse frente a Kant, Castellanos enfatiza ese aspecto del pensamiento kantiano donde según Bertrand Russell, hay «un énfasis de la mente
opuesta a la materia, que conduce a la postre a afirmar que sólo la mente
existe».[9] Lo que interesa a Castellanos son las interrelaciones de tiempo,
espacio, objetos y experiencias insertados allí. Es posible que también

---

9 Bertrand Russell, *A History of Western Philosophy*. New York: Simon and Schuster,
1972. p. 704.

esté negando a la negación kantiana del tiempo y el espacio como elementos empíricos que se conjugan en el quehacer conceptual categórico.[10] Es decir, que a la contemplación trascendental, Castellanos opone el devenir del tiempo sobre el espacio cotidiano, haciéndolo, ciertamente, espacio temporalizado. Castellanos se refiere a la cosmovisión trascendental de Kant más bien que a esa parte de su filosofía que, de acuerdo con Russell, ha influido en el desarrollo del empirismo occidental.[11] También Castellanos se dirige a Kant con referencia a su entendimiento de la «ley moral» como sistema que debe construirse a través de la razón pura, separada de lo contingente y los imperativos naturales.[12] Charles Taylor observa que «Kant propone que la ley moral debe ser contractual *a priori*, que no puede depender de la naturaleza particular de los objetos que deseamos ni de las acciones que proyectamos, sino que debe ser puramente formal».[13] Esta apreciación de la ley moral, según Taylor, influye sobre los jóvenes románticos alemanes, quienes por medio de la interpretación de Fitche definen la subjetividad como generadora de dos mundo, «el mundo inconsciente de la naturaleza, y el consciente de la acción moral e histórica».[14] Uno de los resultados de esta perspectiva del sujeto desde el romanticismo es dar no sólo la continuada acepción de la mujer como naturaleza ahora desacralizada, sino también la tentativa romántica de unir por medio de la expresión lingüística al cuerpo/naturaleza con el espíritu autoconsciente como apropiación masculina, excluyendo a la mujer como hablante. Como he tratado de demostrar, Castellanos reconoció que esa articulación romántica convirtió a lo femenino (también al noble salvaje) en signo y objeto natural para definirse a sí mismo. En las letras hispánicas el ejemplo sobresaliente del siglo XIX es Bécquer, de quien Castellanos deriva el título de su obra *Poesía no eres tú*. No tanto negación del verso de Bécquer, ni de Bécquer mismo, como negación de lo femenino tal y como se codifica en el texto romántico heredado. O sea, la feminidad no eres tú, soy yo.

En «Mala fe» la perspectiva que se aproxima a Kant sigue la noción

---

10 Russell, pp. 712-718.
11 Russell, p. 718.
12 Taylor, pp. 31-36.
13 Taylor, p. 31.
14 Taylor, p. 42.

de la posición decorativa de lo femenino aún con referencia a la teoría evolucionista. Ella es «la cereza / puesta sobre la punta del helado» (p. 305). Estas consideraciones revelan a Castellanos que si alguien tiene que pagar el rescate del mal, existencial y ontológicamente, ella como mujer lo paga «para que se restaure el equilibrio / y todo continúe, como ahora, girando» (p. 306). Para Castellanos, el sentido ontológico de la mujer, para bien o para mal, no ha desaparecido; como resultado, la mujer paga el rescate, es la rehén significativa, para que se haga el orden, especialmente el orden ontoteológico.

# BIBLIOGRAFÍA

## I. BIBLIOGRAFÍA SOBRE ROSARIO CASTELLANOS

Ahren, Maureen. «A Critical Bibliography of and about the Works of Rosario Castellanos». En *Homenaje a Rosario Castellanos*. Eds. Marureen Ahren y Mary Seale Vásquez. Valencia: Ediciones Albatros Hispanófila, 1980, pp. 121-174.

Ocampo de Gómez, Aurora M. y Ernesto Prado Velázquez. «Rosario Castellanos». En su *Diccionario de escritores mexicanos*. México: UNAM, Centro de estudios literarios, 1967. pp. 68-70.

Sierra, Carlos. «Silueta de Rosario Castellanos». *Boletín Bibliográfico de la Secretaría de Hacienda y Crédito Público*, 500 (ago. 1974), pp. 10-13.

## II. LA OBRA DE ROSARIO CASTELLANOS

### A. Poesía

*Trayectoria del polvo*. México: Colección El Cristal Fugitivo, 1948, 15 pp.

*Apuntes para una declaración de fe*. Nota preliminar de Marco Antonio Millán. Ilustraciones de Francisco Moreno Capdevila. 1ª ed. México: Ediciones de América, Revista Antológica, 1948. 24 pp.

*De la vigilia estéril*. México: Ediciones de América, Revista Antológica, 1950. 65 pp.

*Dos poemas*. México: Ícaro, Impresora Económica, 1950. n.p.

*Presentación al templo: Poemas*. (Madrid, 1951). México: Ediciones América, Revista Antológica, 1952. n.p.

*El rescate del mundo*. 1ª ed. México: Ediciones de América, Revista Antológica, 1952. n.p.

*Poemas (1953-1955)*. México: Colección Metáfora, 1957. 60 pp.

*Salomé y Judith: Poemas dramáticos*. México: Editorial Jus, 1959. 79 pp.

*Al pie de la letra: Poemas*. Xalapa: Universidad Veracruzana, 1959. 105 pp.

*Lívida luz: Poemas*. México: Universidad Nacional Autónoma de México, 1960. 37 pp.

*Materia memorable*. México: Universidad Nacional Autónoma de México, 1969. 151 pp.

*Poesía no eres tú: Obra poética, 1948-1971*. México: Fondo de Cultura Económica, 1972. 347 pp.


B.    *Narrativa*


*Balún-Canán*. México: Fondo de Cultura Económica, 1957. 292 pp.

*Ciudad real*. Xalapa: Universidad Veracruzana, 1960. 194 pp.

*Oficio de tinieblas*. México: Joaquín Mortiz, 1962. 368 pp.

*Los convidados de agosto*. México: Ediciones Era, 1964. 169 pp.

*Álbum de familia*. México: Joaquín Mortiz, 1971. 155 pp.


C.    *Obra dramática*


Hernández, Efrén, Marco Antonio Millán, Rosario Castellanos y Dolores Castro. «Dicha y desdichas de Nicoles Méndez. Tragiburledia cinematográfica». América: Revista Antológica, 65 (abril 1951), pp. 161-310.

«Tablero de damas: Pieza en un acto». América: Revista Antológica, 68 (junio 1952), pp. 185-224.

*El eterno femenino: farsa*.México: Fondo de Cultura Económica, 1975. 204 pp.

*D. Ensayo*

*Sobre cultura femenina.* México: Ediciones de América: Revista Antológica, 1950. 127 pp.

*Mi libro de lectura.* México: Instituto Nacional Indigenista, 1963. n.p.

*Juicios sumarios.* Xalapa: Universidad Veracruzana, 1966. 434 pp.

*Mujer que sabe latín...* México: Secretaría de Educación Pública, 1973. 213 pp.

*El uso de la palabra.* Prólogo de José Emilio Pacheco. México: Ediciones de Excélsior-Crónicas, 1974. 313 pp.

*El mar y sus pescaditos.* México: Secretaría de Educación Pública, 1975. 198 pp.

III.  CHARLAS Y ENTREVISTAS DE ROSARIO CASTELLANOS

Albarracín, Agustín Antonio. «Imagen del "México nuevo" en la colina de la primavera». *El universal,* 17-IX-1971, p. 16.

——. «Entrevista con Rosario Castellanos». *El día,* 8-VIII-1974, pp. 6-7.

Baptiste, Víctor. «La obra poética de Rosario Castellanos». Tesis. University of Illinois, 1967.

Carballo, Emmanuel. «La historia de sus libros contada por ella misma». *La cultura en México,* 44 (19-XII-1962), pp. 2-5.

——. *Diecinueve protagonistas de la literatura mexicana del siglo XX.* México: Empresas Editoriales, 1965. pp. 409-424.

Cárdenas, Dolores. «Rosario Castellanos: la mujer mexicana, cómplice de su verdugo». *Revista de revistas,* 22 (1-XI-1972), pp. 24-27.

«Rosario Castellanos» (Castellanos habla sobre su novela *Oficio de tinieblas). La cultura en México,* 7 (4-IV-1962), pp. 2-3.

«Rosario Castellanos». En *Confrontaciones: Los narradores ante el público.* México: Joaquín Mortiz, 1966, pp. 89-98.

Cresta de Leguizamón, María Luisa. «En recuerdo de Rosario Castellanos». *La palabra y el hombre,* 19 (jul.-sept. 1976), pp. 3-18.

Dabdoud, Mary Lou. «Última charla con Rosario Castellanos». *Revista de revistas,* 119 (11-IX-1974), pp. 44-46.

Domínguez, Luis Adolfo. «Entrevista con Rosario Castellanos». *Revista de Bellas Artes,* 25 (1969), pp. 16-23.

Dybvig, Rhoda. *Rosario Castellanos: Biografía y novelística.* Tesis. México: UNAM, Dirección de Cursos Temporales, 1965.

Galindo, Carmen. «Entrevista con Rosario Castellanos». *El libro y la vida,* Gaceta de información y crítica editada por *El día,* 7 (12-X-1969), pp. 8-9.

García Flores, Margarita. «Entrevista con Rosario Castellanos: La crítica y su función casi nula». *El gallo ilustrado,* supl. dom. de *El día,* 213 (24-VII-1966), p. 1.

——. «Rosario Castellanos: La lucidez como forma de vida». *La onda,* supl. de *Novedades,* 62 (18-VIII-1974), pp. 6-7.

Haro, Blanca. «Apenas estamos escapando al yugo del idioma prestado». *Diorama de la Cultura,* supl. dom. de *Excélsior,* 23 (mar. 1966), p. 3.

Lorentz, Günter W. «Entrevista con Rosario Castellanos». En *Diálogo con latinoamérica.* Barcelona: Editorial Pomaire, 1972, pp. 185-211.

Piñeda, Rafael. «Rosario Castellanos. Entrevista poco antes de su muerte». *Imagen,* 103-104 (1975), pp. 88-91.

Poniatowska, Elena. «Rosario Castellanos». *México en la cultura,* 26 (ene. 1958), pp. 7, 10.

——. «Renunció a servir en una Universidad donde manda el gángster Flores Urquiza, dice la gran escritora Rosario Castellanos». *La cultura en México,* 222 (18-V-1966), pp. 5-7.

——. «¿Mujer orquesta? Rosario Castellanos combinará clases, literatura y diplomacia». *Novedades,* 8-III-1971, pp. 1, 10.

Reyes Nevares, Beatriz. «Entrevista con Rosario Castellanos». *¡Siempre!,* 558 (4-III-1964), p. 41.

IV. Currículum vitae y testimonios sobre Rosario Castellanos

Avilés, Alejandro. «Rosario Castellanos: Gran mujer, gran escritora.» *Excélsior,* 8-VIII-1974, n.p.

Carballo, Marco A. «Rosario, en la rotonda de los hombres ilustres». *Excélsior,* 10-VIII-1974, pp. 1, 17.

Cárdenas, Ezequiel. «In memorian, Rosario Castellanos, 1925-1974». *Letras femeninas*, 1 (prim. 1974), pp. 72-74.

Foppa, Alaide. «Adiós a Rosario Castellanos». *Los Universitarios*, 31 (15/31-VIII-1974), p. 6.

Guillén, Pedro. «Rosario la de Chiapas», *Vida literaria*, 30 (1972), pp. 14-15.

«Homenaje a Rosario Castellanos, 1925-1974». *Los Universitarios*, 31 (15/31-VIII-1974), p. 1-8.

Llamas, María del Refugio, ed. *A Rosario Castellanos: Sus amigos*. México: Año Internacional de la Mujer/Programa de México, 1975.

Mendicuti, Isidro. «En una semana, *Oficio de tinieblas* de Rosario Castellanos rompe todos los récords de venta». *México en la cultura*, 712 (11-XI-1962), p. 11.

Mendoza, María Luisa. «Taladrada en el hilo de Rosario». *Excélsior*, 6-IV-1958, p. 3.

Miller, Beth. «Chronology». *Feminist Studies*, 3, 3-4 (prim.-ver., 1976), pp. 66-68.

——. «Rosario Castellanos». *Review*, inv. 1974, p. 47.

Moirón, Sara. «Rosario Castellanos». *La palabra y el hombre*, 11 (jul.-sept. 1974, pp.17-18.

«Murió la escritora Rosario Castellanos». *El sol de México*, 8-VIII-1974, pp. 1-13A.

Ocampo, Aurora M. «Rosario Castellanos». En *Cuentistas mexicanos del siglo XX*. México: UNAM, Dirección General de Publicaciones, 1976, pp. 135-136.

Ocampo Ramírez, Pedro. «El Premio Drouget. Los escritores y su lenguaje». *Excélsior*, 22-IX-1967, pp. 6A, 8A.

Poniatowska, Elena. «Rosario Castellanos». *Los Universitarios*, 31 (15/31-VIII-1974), p. 3.

——. «Rosario Castellanos: Las letras que quedan de tu nombre». *La cultura en México*, 1106 (4-IX-1974), pp. 6-8.

——. «¡Te hicieron parque, Rosario!». *Revista de bellas artes*, 18 (nov.-dic. 1974), p. 2.

Reyes Nevares, Beatriz. *Rosario Castellanos*. México: Depto. Editorial Secretaría de la Presidencia, 1976.

—— y Salvador. «Su vida y su muerte: Quién era y cómo era Rosario

Castellanos». *La cultura en México*, 1104 (21-VIII-1974), pp. 14-15.

Riano, R. Mario E. «Cómo escribió Rosario Castellanos su obra póstuma *El eterno femenino*». *El sol de México*, 2-III-1976, n.p.

«Rosario Castellanos. La mujer del año 1967». *¡Siempre!*, 768 (13-III-1968), p. 23.

Sabines, Jaime. «Recado a Rosario Castellanos». *Revista de Bellas Artes*, 17 (nov-dic. 1974), p. 23.

Shedd, Margaret. «On Rosario Castellanos». *Recent Books in México*, 7, 5 (15-VII-1960), p. 3; y 8, 5 (15-VII-1961), p. 7.

*¡Siempre!* 1105 (28-VIII-1974). (Edición dedicada a Rosario Castellanos en la ocasión de su muerte.)

Vásquez, Mary Seale. «Rosario Castellanos: Image and Idea». En *Homenaje a Rosario Castellanos*. Eds. Maureen Ahern y Mary Seale Vásquez. Valencia: Ediciones Albatros Hispanófila, 1980, pp. 15-40.

V. ANTOLOGÍA DE ENSAYOS CRÍTICOS SOBRE LA OBRA DE ROSARIO CASTELLANOS

Ahern, Maureen y Mary Seale Vásquez, eds. *Homenaje a Rosario Castellanos*. Valencia: Ediciones Albatros Hispanófila, 1980.

VI. RESEÑAS Y CRÍTICA DE LA POESIA DE ROSARIO CASTELLANOS

Anon. «Reseña a *Poemas (1953-1955)*». *México en la cultura*, 443 (15-IX-1957), p. 2.

Baptiste, Víctor. *La obra poética de Rosario Castellanos*. Santiago de Chile: Exégesis, 1972.

Carballo, Emmanuel. «Reseña a *Poemas (1953-1955)*». *México en la cultura*, 430 (16-VI-1957), p. 2.

Castro Leal, Antonio. «Dos poemas dramáticos (en) *Poesía no eres tú*». *Vida literaria*, 30 (1972), pp. 5-6.

Freire, Isabel. «*Lívida luz* de Rosario Castellanos». *Revista mexicana de literatura*, 16-18 (oct-dic., 1960), pp. 75-76.

Guardia, Miguel. «Reseña a *Apuntes para una declaración de fe*». *Fuensan-*

*ta*, año 1, 2 (31-X-1949), p. 4.

Leiva, Raúl. «Rosario Castellanos, (sección) 7: La generación última». En *Imagen de la poesía mexicana contemporánea.* México: Centro de Estudios Literarios, UNAM, 1959, pp. 333-341.

——. «Reseña a *Lívida luz*». *La palabra y el hombre,* 17 (ene.-mar. 1961), pp. 180-183.

Millán, María del Carmen. «Tres escritoras mexicanas del siglo XX». *Cuaderno americanos,* 34, 5 (sept.-oct. 1975), pp. 163-181.

Miller, Beth. «Voz e imagen en la obra de Rosario Castellanos». *Revista de la Universidad de México,* 30 (dic. 1975-ene. 1976), pp. 33-38.

——. «Women and Feminism in the Works of Rosario Castellanos». En *Feminist Criticism: Essays on Theory, Poetry and Prose.* Eds. Cherry L. Brown y Karen Olson. Metuchen, N.J.: The Scarecrow Press, Inc., 1978, pp. 198-210.

——. «El feminismo mexicano de Rosario Castellanos». En *Mujeres en la literatura.* México: Fleischer Editora, 1978, pp. 9-19.

——. «The Poetry of Rosario Castellanos: Tone and Tenor». En *Homenaje a Rosario Castellanos..* Eds. Maureen Ahern y Mary Seale Vásquez. Valencia: Ediciones Albatros Hispanófila, 1980, pp. 75-83.

Monsiváis, Carlos. «Apuntes para una declaración de fe (sobre la poesía de Rosario Castellanos)». *La cultura en México,* 1105 (27-VIII-1974), pp. 2-3.

Nandino, Elías. «Reseña a *Al pie de la letra*». *Estaciones,* 4, 14 (1959), pp. 242-243.

Pacheco, José Emilio. «Reseña a *Al pie de la letra*». *Estaciones,* 4, 14 (1959), p. 245.

——. «Rosario Castellanos o la rotunda austeridad de la poesía». *Vida literaria,* 30 (1972), pp. 8-11.

——. «Rosario Castellanos o la literatura como ejercicio de la libertad». *Diorama de la cultura,* supl. dom. de *Excélsior,* 11-VIII-1974, p. 16.

Paley, Julian. *Meditation on the Threshold.* Trad J. Paley. Tempe, AZ: Bilingual Press, 1974, p. 16.

Rama, Ángel. «La generación hispanoamericana de medio siglo, una generación creadora, con un poema "Toma de conciencia"». *Marcha* (Montevideo), 24, 1217, 2ª ed. (7-VIII-1964), pp. 1-3.

Reyes Nevares, Salvador. «Reseña a *Al pie de la letra*». *México en la cultu-*

*ra,* 528 (26-IV-1959), p. 4.

——. «Reseña a *Salomé y Judith*». *México en la cultura,* 539 (12-VII-1959), p. 4.

Rivero, Eliana. «Visión social y feminista en la obra poética de Rosario Castellanos». En *Homenaje a Rosario Castellanos*». Eds. Maureen Ahern y Mary Seale Vásquez. Valencia: Ediciones Albatros Hispanófila, 1980, pp. 85-97.

Selva, Mauricio de la. «Cuatro libros de poesías». *Cuadernos americanos,* 185, 6 (1972), pp. 255-258.

Shedd, Margaret. «Three Young Mexican Poets». *Recents Books in México,* 3, 6 (1957), pp. 1-2, 10.

Silva Villalobos, Antonio. «La poesía de Rosario Castellanos». *Metáfora,* 18 (ene.-feb. 1958), pp. 3-9.

——. «La poesía de Rosario Castellanos». *Nivel,* 30 (25-VI-1961), pp. 2, 5.

Venegas, Robert. «Rosario Castellanos formula su propia antología». *Diorama de la cultura,* supl. dom. de *Excélsior,* 25-X-1969, pp. 1, 6.

Young, Howard T. «Al pie de la letra». *Books Abroad* (verano 1961), p. 276.

VII. Reseñas y crítica sobre la narrativa y prosa de Rosario Castellanos

Aguilera Malta, Demetrio. «La novela indigenista: de Voltaire a Rosario Castellanos». *El gallo ilustrado,* supl. dom. de *El día,* 36 (3-III-1963), p. 3.

Álvarez, F. «1953/1963: La novela mexicana». *La cultura en México,* 72 (3-VII-1963), pp. 13-15.

Anon. «Reseña a *Oficio de tinieblas*». *México en la cultura,* 711 (4-XI-1962), p. 9.

——. «Reseña a *Oficio de Tinieblas*». *Cuadernos de bellas artes,* 3, 21 (dic. 1962), p. 3.

——. «Reseña a *Los convidados de agosto*». *Cuadernos de bellas artes,* 5, 9 (sept. 1964), pp. 76-77.

——. «Reseña a *Los convidados de agosto*». *Diorama de la cultura,* supl. dom. de *Excélsior,* 22 (nov. 1964), p. 4.

——. «Reseña a *Rito de iniciación*». *La gaceta*, 11 (1964), n.p.

Batis, Humberto. «Reseña a *Los convidados de agosto*». *La cultura en México*, 138 (7-X-1964), p. 18.

Carballo, Emmanuel. «Chiapas y la literatura indigenista». *La cultura en México*, 82 (11-IX-1963), p. 20.

——«Poesía y prosa, imaginación y realidad: Reseña a *Los convidados de agosto*». *La cultura en México*, 143 (11-XI-1964), p. 15.

——. «Balance 1962. La novela». *La cultura en México*, 46 (2-I-1963), p. 3.

——. «La novela». *La cultura en México*, 46 (2-I-1963), pp. 2-3.

Carreño, Mada. «Álbum de familia, Justine y el ángel». *Vida literaria*, 30 (1972), pp. 12-13.

Castro, Dolores. «Reseña a *Balún-Canán*». *La palabra y el hombre*, 7 (jul.-sept. 1958), pp. 33-36.

Chumacero, Alí. «Reseña a *Balún-Canán*». *México en la cultura*, 453 (26-XI-1963), p. 2.

Coll, Edna. *Injerto de temas en las novelistas mexicanas contemporáneas*. San Juan, P.R.: Ediciones Juan Ponce de León,. 1964, pp. 101-107.

Campos, Jorge. «Novelas e ideas de Rosario Castellanos». *Ínsula*, 19, 211 (jun. 1964), p. 11.

Francescato, Martha Paley. «Transgresión y aperturas en los cuentos de Rosario Castellanos». En *Homenaje a Rosario Castellanos*. Eds. Maureen Ahern y Mary Seale Vásquez. Valencia: Ediciones Albatros Hispanófila, 1980, pp. 115-120.

Frenk Alatorre, M. «Reseña sobre Cultura femenina». *México en la cultura*, 97 (10-XII-1950), p. 7.

Fox-Lockert, Lucía. «El feminismo en la obra de Rosario Castellanos». *Letras femeninas*, 5, 2 (otoño 1979), pp. 48-56.

García-Barragán, Guadalupe. «Rosario Castellanos en la novela y el cuento indigenistas». En Dionisia A. Riola, ed., *World Literature General Education Journal*, 13, 1-3 (1968), pp. 113-120.

González, Alfonso. «La soledad y los patrones del dominio en la cuentística de Rosario Castellanos». En *Homenaje a Rosario Castellanos*. Eds. Maureen Ahern y Mary Seale Vásquez. Valencia: Ediciones Albatros Hispanófila, 1980, pp. 107-113.

Hanffstengel, Renate von. *El México de hoy en la novela y el cuento*. México: Ediciones de Andrea, 1966, pp. 31-32, 36-41, 65-66, 67-71.

Hierro, Graciela. «La tesis de Rosario Castellanos». *Fem*, 3, 10 (1976), pp. 63-66.

Lindstrom, Naomi. «Rosario Castellanos: Representing Woman's Voice». *Letras femeninas*, 5, 2 (otoño 1979), pp. 29-47.

——. «Rosario Castellanos: Pioneer of Femenist Criticism». En *Homenaje a Rosario Castellanos*. Eds. Maureen Ahern y Mary Seale Vásquez. Valencia: Ediciones Albatros Hispanófila, 1980, pp. 65-73.

MacDonald, Regina H. «Rosario Castellanos: On Language». En *Homenaje a Rosario Castellanos*. Eds. Maureen Ahern y Mary Seale Vásquez. Valencia: Ediciones Albatros Hispanófila, 1980, pp. 41-64.

Megged, Nahum. «Entre soledad y búsqueda de diálogo». *Los universitarios*, 31 (15/31-VIII-1974), pp. 4-5.

Millán, María del Carmen. «En torno a *Oficio de tinieblas*». *Anuario de letras*, 3 (1963), pp. 287-299.

——. «Ciudad real». *Revista de bellas artes*, 18 (nov.-dic. 1974), pp. 24-27.

Miller, Beth. «Personajes y personas: Castellanos, Fuentes, Poniatowska y Sáinz». En *Mujeres en la literatura*. México: Fleischer Editora, 1978, pp. 65-75.

——. «Mujer y sociedad en *Álbum de familia* de Rosario Castellanos». En *Actas* del Symposium on Women and Society in America (29 mar.-1 abril 1978), n.p.

——. «Female Characterization and Contexts in Rosario Castellanos' *Álbum de familia*». *The American Hispanist*, 4, 32-33 (ene.-feb. 1979), pp. 26-30.

——. «Rosario Castellanos: *Guests in August:* Critical Realism and the Provincial Middle Class». *Latin American Literary Review*, 7, 14 (1978), pp. 5-19.

Peñalosa, Javier. «Reseña a *Rito de iniciación*». *México en la cultura*, 791 (17-V-1964), p. 3.

Portal, Marta. «Narrativa indigenista mexicana de mediados de siglo». *Cuadernos hispanoamericanos*, 298 (1975), pp. 196-207.

——. «*Oficio de tinieblas*». En *Proceso narrativo de la revolución mexicana*. Madrid: Ediciones Cultura Hispánica, 1977, pp. 212-221.

Reinosa, Cristina. «Nuevos trabajos de Rosario». *Sucesos*, 2-X-1964, pp. 25-26, 28.

Reyes Nevares, Salvador. «*Los convidados de agosto* cierran el ciclo de las obras provincianas de Rosario Castellanos». *La cultura en México*, 138 (7-X-1964), p. 19.

——. «La obra crítica de Rosario Castellanos». *La cultura en México*, 252 (14-XII-1966), p. 11.

Rodríguez Chicarro, César. «Rosario Castellanos. *Balún-Canán*». *La palabra y el hombre*, 9 (ene.-mar. 1959), pp. 61-67.

——. «La novela indigenista mexicana». En *Estudios literarios: Cide Hamete Benengeli; la novela indigenista mexicana, la tragedia del amor y del tiempo*. Xalapa: Universidad Veracruzana, 1963, pp. 95-150.

Rodríguez—Peralta, Phyllis. «Images of Women in Rosario Castellanos' Prose». *Latin American Literary Review*, 6, 11 (otoño-inv. 1977), pp. 68-80.

Rosser, Harry Lee. *Conflict and Transition in Rural México: The Fiction of Social Realism*. Waltham, MA.: Brandeis University, Crossroads Press, 1980.

Sáinz, Gustavo. «Escaparate de libros: Reseña a *Los convidados de agosto*». *México en la cultura*, 806 (30-VIII-1964), p. 7.

Selva, Mauricio de la. «Reseña a *Balún-Canán*». *Cuadernos americanos* (ene.-feb. 1958), pp. 272-273.

S.H.V. «La tarea editorial». *La cultura en México*, 252 (14-XII-1966), p. 12.

Sommers, Joseph. «Novels of a Dead Revolution». *The Nation*, 7, 1963, pp. 114-115.

——. «El ciclo de Chiapas». *Cuadernos americanos*, 133 (1964), pp. 246-261.

——. «Rosario Castellanos: Nuevo enfoque del indio mexicano». *La palabra y el hombre*, 29 (ene.-mar. 1964), pp. 83-88.

——. «The Changing View of the Indian in Mexican Literature». *Hispania*, 47 (marzo 1964), pp. 47-55.

——. «The Indian-Oriented Novel in Latin American: New Spirit, New Forms, New Scope». *Journal of Inter-American Studies*, 6 (abril 1964), pp. 249-265.

——. «The Present Moment in the Mexican Novel». *Books Abroad*, 40 (verano 1966), pp. 261-266.

——. *After the Storm: Landmarks of the Modern Mexican Novel*. Albuquerque: University of New Mexico Press, 1968, pp. 168-170.

——. «Forma e ideología en *Oficio de tinieblas* de Rosario Castellanos». *Revista de crítica literaria latinoamericana*, 4, 7-8 (1978), pp. 73-91.

——. «*Oficio de tinieblas*». *Nexos*, 2 (feb. 1978), pp. 15-16.

Speratti Piñero, Emma Susana. «Rosario Castellanos. *Balún-Canán*». *Revista de la Universidad de México*, 12, 5 (ene. 1958), p. 30.

Urbano, Victoria E. «La justicia femenina de Rosario Castellanos». *Letras femeninas*, 2 (otoño 1975), pp. 9-20.

Urrutia, Elena. «Los últimos libros en prosa de Rosario Castellanos». *Los universitarios*, 31 (15/31-VIII-1974), pp. 7-8.

Valdez, Mario J. «The Literary Social Symbol for and Interrelated Study of Mexico». *Journal of Inter-American Studies*, 7 (1965), pp. 385-399.

Warner, León y Adolfo Castañou. «Dos opiniones de un libro casi feminista». *La onda*, supl. de *Novedades*, 6 (22-VII-1973), p. 9.

VIII.    Reseñas y crítica sobre la obra dramática de Rosario Castellanos

Oberfield, Vicky. «*El eterno femenino de Rosario Castellanos*». *El sol de México*, 8-I-1976, pp. D1-D2.

O'Quinn. Kathleen. «*Tablero de damas* and *Álbum de familia*: Faces on Women Writers». En *Homenaje a Rosario Castellanos*. Eds. Maureen Ahern y Mary Seale Vásquez. Valencia: Ediciones Albatros Hispanófila, 1980, pp. 99-105.

Peña, Ernesto de la. «*El eterno femenino* de Rosario Castellanos». *El sol de México en la cultura*, 45 (10-VIII-1975), pp. 12-13.

Rabell, Malkah. «Con Rafael López Miarnau». *El día*, 23-II-1975, n.p.

——. «*El eterno femenino*». *El día*, 21-IV-1976, n.p.

Vargas, Elizabet. «Emma Teresa: Rosario nos incita a inventarnos». *El sol de México*, 25-IV-1976, n.p.

Urrutia, Elena. «El humo tiene cara de mujer». *La onda*, supl. de *Novedades*, 108 (6-VII-1976), p. 3.

IX. CRÍTICA FEMINISTA SELECCIONADA

Agonito, Rosemay. *History of Ideas in Woman*. New York: Paragon Books, 1979.

Amorós, Celia. *Hacia una crítica de la razón patriarcal*. Madrid: Anthropos, 1985.

Beauvoir, Simone de. *The Second Sex*. Trans y ed. H.M. Parshley. New York: Vintage Books, 1974.

Daly, Mary. *Gyn/Ecology: The Metaethics of Radical Feminism*. Boston: Beacon Press, 1978.

Diamond, Arlyn y Lee R. Edwards, eds. *The Autorithy of Experience*. Amherst: University of Massachusetts Press, 1977.

Doeuff, Michéle Le. «Simone de Beauvoir and Existentialism». *Feminist Studies*, 6, 2 (verano 1980), pp. 277-289.

Eisenstein, Hester y Alice Jardin, eds. *The Future of Difference*. Boston: G.K. Hall & Co., 1980.

Felski, Rita. *Beyond Feminist Aesthetics: Feminist Literature and Social Change*. Cambridge: Harvard University Press, 1989.

Ferrante, Joan M. *Woman as Image in Medieval Literature*. New York: Columbia University Press, 1975.

Gilbert, Sandra. «My Name is Darkness: The Poetry of Self-Definition». *Contemporary Literature*, 18, 4 (otoño 1977), pp. 443-457.

Gilbert, Sandra M. y Susan Gubar. *The Mad Woman in the Attic: The Woman Writer and the Nineteenth-Century Imagination*. New Haven: Yale University Press, 1979.

Gubar, Susa y Sandra M. Gilbert, eds. *Shakespeare's Sisters: Feminist Essays in Woman Poets*. Bloomington: Indiana University Press, 1979.

Hooks, Bell. *Ain't I a Woman: Black Women and Feminism*. Boston: South End Press, 1981.

Irigaray, Luce. *Speculum of the Other Woman*. Trad. Gillian C. Gill. Ithaca: Cornell University Press, 1985.

Jaggar, Alison M. y Susan R. Bordo, eds. *Gender/Body/Knowledge: Feminist Reconstruction of Being and Knowing*. New Brunswick: Rutgers University Press, 1989.

Jardine, Alice. «Interview with Simone de Beauvoir». *Signs: Journal of Women in Culture and Society*, 5, 2 (invierno 1979), pp. 224-236.

Jehlen, Myra. «Archimedes and the Paradox of the Feminist Criticism». *Signs: Journal of Women in Culture and Society*, 6, 4 (otoño 1981), pp. 575-601.

Kaplan, Sydney Janet. «Literary Criticism: Review Essay». *Signs: Journal of Women in Culture and Society*, 4, 3 (primavera 1979), pp. 514-527.

Kolodny, Annette. «A Map for Rereading: Or, Gender and the Interpretation of Literary Texts». *New Literary History*, 11, 3 (primavera 1980), pp. 451-467.

——. «Some observations on the Theory, Practice and Politics of a Feminist Literary Criticism». *Feminist Studies*, 6, 1 (primavera 1980), pp. 1-25.

Kristeva, Julia. «Woman's Time». Trans. Alice Jardin and Harry Blake. *Signs: Journal of Women in Culture and Society*, 7, 1 (otoño 1981), pp. 13-35.

——. *Desire in Language: A Semiotic Approach to Literature and Art.* Trans. Thomas Coras, Alice Jardine y León S. Roudicz. Ed. León S. Roudicz. New York: Columbia University Press, 1980.

Marks, Elaine e Isabelle de Courtivron, eds. *New French Feminisms: An Anthology.* New York: Schocken Books, 1981.

McCall, Dorothy Kaufmann. «Simone de Beauvoir, *The Second Sex*, and Jean-Paul Sartre». *Signs: Journal of Woman in Culture and Society*, 5, 2 (invierno 1979), pp. 209-223.

Ostriker, Alicia. «The Thieves of Language: Woman Poets and Revisionist Mythmaking». *Signs: Journal of Women in Culture and Society*, 8, 1 (primavera 1982), pp. 68-90.

Panichas, George A., ed. *The Simone Weil Reader.* New York: David MacKay Company, Inc., 1977.

Register, Cheri. «Literary Criticism: Review Essay». *Signs: Journal of Women in Culture and Society*, 6, 2 (invierno 1980), pp. 268-282.

Reiter, Rayna R. ed. *Toward and Anthropology of Women.* New York: Monthly Review Press, 1975.

Rich, Adrienne. *On Lies, Secrets, and Silence: Selected Prose, 1966-1978.* New York: W.W. Norton and Co., 1979.

——. *Of Woman Born: Motherhood as Experience and Institution.* New York: Bantan Books, 1977.

Rosaldo, Michele Zimbalist y Louise Lamphere, eds. *Woman, Culture and Society.* Stanford, CA: Stanford University Press, 1978.

Stimpson, Catherine R. «Gerda Lerner on the Future of our Past: An Interview». *Ms.,* sept. 1981, pp. 51-52, 93-95.

Vetterling-Braggin, Mary y Fredrick A. Elliston y Jane English, eds. *Feminism and Philosophy.* Towota, NJ: 1978.

Weil, Simone. *Gravity and Grace.* Trans. Emma Craufurd. London: Routledge and Kegan Paul, 1952.

——. *Lectures on Philosophy.* Trans. Hogh Price. London: Cambridge University Press, 1978.

——. *First and Last Notebooks.* Trans. Richard Ress. London: Oxford University Press, 1970.

Woolf, Virginia. *Three Guineas.* New York: Harcourt Brace Jovanovich, 1966.

——. *Women and Writing.* Ed. Michéle Barrett. New York: Harcourt Brace Jovanovich, 1979.

## X.  OBRA CRÍTICA Y FILOSÓFICA SELECCIONADA

Arendt, Hannh. *Between Past and Future.* New York: Penguin Books, 1968.

Barthes, Roland. *Writing Degree Zero.* Trad. Annette Lavers y Colin Smith. Introd. Susan Sontag. Boston: Beacon Press, 1970.

——. *Mythologies.* Trad. Annette Lavers. New York: Hill and Wang, 1972.

Bloom, Harold. *The Anxiety of Influence: A Theory of Poetry.* New York: Oxford University Press, 1973.

Bloom, Harold, Paul de Man, Jacques Derrida, Geoffrey Hartman y J. Hillis-Miller. *Deconstruction and Criticism.* New York: Continuum, 1979.

Burke, Kenneth D. *The Philosophy of Literary Form: Studies in Symbolic Action.* New York: Vintage Books, 1961.

——. *Terms for Order.* Eds. Stanley Edgar Hyman y Barbara Karmiller. Bloomington: Indiana University Press, 1964.

——. *Language as Symbolic Action: Essays on Life, Literature and Method.* Berkeley: University of California Press, 1966.

Bergson, Henri. *Matter and Memory.* Trad. Mancy Margaret Paul y W. Scott Palmer. London: George Allen and Unwin, Ltd. 1950.

Bodkin, Maud. *Archetypal Patterns in Poetry: Psychological Studies of Imagination.* New York: Oxford University Press, 1948.

Brown, James. *Kierkegaard, Heidegger, Buber and Barth: A Study of Subjectivity and Objectivity in Existentialist Thought.* New York: Collier Books, 1971.

Brown, Norman O. *Life Against Death: The Psychoanalytical Meaning of History.* New York: Vintage Books, 1961.

Cook, Albert. *Myth and Language.* Bloomington: Indiana University Press, 1980.

Derrida, Jacques. *Spurs.* Trad. B. Harlow. Chicago: University of Chicago Press, 1979.

——. *Of Grammatology.* Trad. G.C. Spivak. Baltimore: Johns Hopkins University Press, 1976.

——. *Writing and Difference.* Trad. A. Bass. Chicago: University of Chicago Press, 1978.

Eliade, Mircea. *Mith and Reality.* Trad. Willard R. Trask. New York: Harper and Row, 1963.

Feder, Lillian. *Ancient Myth in Modern Poetry.* Princeton, NJ: Princeton University Press, 1977.

Friedman, Maurice, ed. *The Worlds of Existencialism: A Critical reader.* Chicago: University of Chicago Press, 1964.

Frye, Northrop. «Literature and Myth». En *Relations of Literary Study.* James Thorpe. New York: Modern Language Association, 1967, pp. 27-41.

Goertz, Clifford. *The Interpretation of Cultures.* New York: Basic Books, Inc., 1973.

Girard, René. *Violence and the Sacred.* Trad. Patrick Gregory. Baltimore: John Hopkins University Press, 1977.

Harper, Ralph. *The Existential Experience.* Baltimore: John Hopkins University Press, 1972.

Hawkes, Terence. *Structuralism and Semiotics.* Berkeley: University of California Press, 1977.

Jameson, Fredrick. *Marxism and Form: Dialectial Theories of Literature.* Princeton, NJ: Princeton University Press, 1971.

José Gorostiza. México: Fondo de Cultura Económica, 1974.

Kern, Edith, ed. *Sartre: A Collection of Critical Essays*. Englewood Cliffs, NJ: Prentice-Hall, Inc., 1962.

Lacan, Jacques. *Ecrits*. Trad. Alan Sheridan. London: Thavistock, 1977.

Lukács, Georg. *Writer and Critic*. Trad. y ed. Arthur D. Kahn. New York: Grosset and Dunlap, 1974.

Ortega y Gasset, José. «Landscape with a Deer in the Background». En *On Love: Aspects of a Single Theme*. New York: Meridian Books, 1957.

Passmore, John. *A Hundred Years of Philosophy*. New York: Penguin Books, 1978.

Preminger, Alex et al, ed. *Princeton Encyclopedia of Poetry and Poetics*. Princeton, NJ: Princeton University Press, 1974.

Rougemont, Denis de. *Love in the Western World*. Trad. Montgomery Belgion. New York: Fawcett World Library, 1966.

Russell, Bertrand. *A History of the Western Philosphy*. New York: Simon and Schuster, 1972.

Sallis, John y Kenneth Maly. *Heraclitean Fragments: A Companion Volume to the Heidegger/Fink Seminar on Heraclitus*. Tuscaloosa: Universtity of Alabama Press, 1980.

Sartre, Jean-Paul. *What is Literature?* Trad. Bernard Frechtman. New York: Washington Square Press, Inc., 1966.

Slowchower, Harry. «Existencialism and Myth». En *Marxism and Art*. Introd. y ed. Maynard Solomon. Detroit: Wayne State University Press, 1979, pp. 489-491.

Sproul, Barbara C. *Primal Myths: Creating the World*. New York: Harper and Row, 1979.

Taylor, Charles. *Hegel*. New York: Cambridge University Press, 1977.

Tillich, Paul. *The Courage to Be*. New Haven: Yale University Press, 1979.

Unamuno, Miguel de. *Del sentimiento trágico de la vida*. Colección Austral, Espasa-Calpe, S.A., 1971.

Virgilio. *Aeneid*. Trad. e introd. L.R. Lind. Bloomington: Indiana University Press, 1968.

Wheelwright, Philip. *The Burning Fountain*. Bloomington: Indiana University Press, 1968.

Williams, Raymond. *Marxism and Literature*. London: Oxford University Press, 1978.

Wilson, Jason. *Octavio Paz: A Study of His Poetics*. New York: Cambridge University Press, 1979.

# EDITORIAL PLIEGOS

*Las novelas ganadoras del Premio Nadal 1970-1979*, Margarita M. Lezcano.

*Ninfomanía: El discurso feminista en la obra poética de Rosario Castellanos*, Norma Alarcón.